科学する心

池澤夏樹

角川文庫
23519

目次

ウミウシの失敗

何がきっかけというわけでもないのだが、科学についての自分の考えを少し整理してみようと思った。抽象と具体の中間を行く散漫な思索を試みる。

半世紀前、大学で理系に身を置いたがこれは成就せず、研究者や理科の教師にはなれなかった。それでも関心は続いていて、今もって理系の啓蒙書や雑誌はよく読むし書評もする。小説の中にそういう話題を持ち込むことも少なくない。早い話がアマチュアの科学ファンだ。

沖縄の海岸近くに住んでいた頃は周囲の自然がなかなか楽しかった。家の一階の窓の庇にイソヒヨドリが巣作りして雛を育てるのを真上から観察することができた。白いクロサギにも出会ったし、トガリネズミやアシダカグモ、体長百三十ミリのムカデ、体長二百ミリのナナフシなどが家の内外にいた。毎日バケツ一杯の臭いヤスデを掃いて捨てるのが日課だったこともあった（これらの話題についてはぼくの『アマバルの自然誌』〈光文社文庫〉という本に詳しい）。

しかしその後ではフィールドから遠ざかってしまった。今はせいぜい近所の動物園にオオカミを見に行くくらい。彼らはだいたいいつも寝ている。

一神教が神という絶対存在を措定して、それによってサルトルの言う「自由という刑罰」から逃れて身を律する方法だとすれば、代わりに自然という絶対存在を措定するのが科学ではないのか。人間が何をしようと月までの距離は変わらない。そこに安心感を求めるという心的傾向があるのだ。しかもその先にも無限に謎が続き、それがいかにも意味ありげに思える。

最近では人間が自然を改変したように見えることが多いが、基本的には科学者にとって自然とは観察と解析の対象であり、人間の営みとの間には歴然たる一線がある（はずだ／べきだ）。

それを越えるところから科学を離れて技術が始まるのだろうけれど、利がからんで政治や経済、すなわち倫理の問題が大きな要素となるからあまり考えたくない。できることなら二十世紀前半の核物理とマンハッタン計画を截然と分けておきたいが、そう言っていられないのはわかっている。月までの距離を変えるプランが（利さえあれば）提唱されない保証はない。自然界から見ればヒトとはまこと始末の悪い攪乱分子である。

「科学する心」を提唱した橋田邦彦

「科学する心」というと新しげに聞こえるけれど、これは一九四〇年に作られた言葉である。そのずっと後にしばらく流行した「お茶する」などと同じで、名詞的な熟語にいきなり「する」がつくからちょっと新鮮に聞こえる。これが「研究する」ならば平凡なのは「研究」が動詞的な熟語だからだ。

だから「科学する心」はいかにもコピーライターの一工夫という印象になるが、これを提唱した橋田邦彦は一通り業績のある生理学者で、その一方で道元と江戸時代初期の陽明学者、中江藤樹にも詳しいという奇妙な人物だった。道元の『正法眼蔵』は仏教系の漢語と和語が混じった独特の文体で、そのあたりが「科学する心」という語法の由来という説もある。

さて、橋田邦彦は昭和十五（一九四〇）年、第二次近衛内閣の文部大臣に就任した。翌年、第二次世界大戦開戦。東條内閣までその席にあって昭和十八（一九四三）年に辞任した。

あれほど合理を欠く戦争の遂行に対して科学は彼の中でどう併置されていたのだろう？　質量保存は科学の基本原理だ。無から有は作れない。石油がなければ戦争ができないことは明々白々だし、糧秣を持たせぬまま兵士を戦地に送れば兵士は餓死する。そういう作戦を実行に移すのでは「科学」ではなく「心」で戦えという精神主義に陥る。この二つの言葉は「する」では繋げなかったはずだ。

戦争を理由に中学・高等教育の年限短縮を実行する一方、彼が学徒動員に反対したのは（実効なしだったにしても）評価しよう。敗戦の後、彼はA級戦争犯罪人として日本の警察に連行されようとした矢先、青酸カリを飲んで自殺した。自宅の玄関で倒れて死んだ。

科学者としての昭和天皇

文部大臣は親任官である。

任命の際に少なくとも一度は天皇に会っているはずだ。儀式の後で歓談の機会があったとして、そこで科学に関する話題が出たことは容易に想像できる（たぶん『昭和天皇実録』には何か書いてあるのだろう）。

ぼくは科学者としての昭和天皇のことを考えている。世間一般はそれを彼の趣味くらいに思っていたようだが、実際にはもっとずっと本格的なもので、彼こそは「科学する心」の体現者だったのではないかと思うのだ。

天皇であることと科学者であることはほぼ異なる資質と言うことができるから、以下ではいささか不謹慎ながら慣例に反してこの人を裕仁さんと呼ぼう。皇族には姓がないから収まりが悪いがまあ仕方あるまい。

彼は幼い時から生物に尋常ならざる関心を持っていた。皇居や御用邸の庭で昆虫や植物の採集に夢中になった。裕仁くんが学習院初等科六年生の時に作った「昆虫と植物」というおもしろい標本が残っている。標本箱の底に何か植物の腊葉標本（押し葉）が貼ってあり、その周囲に七種の蝶が配置されている。

これは蝶とそれが好む食草の関係を表現しているのではないか。ルリタテハの食草はサルトリイバラである。カラタチなど柑橘類を好む蝶は多い。何よりも蚕と桑の関係を挙げれば誰でも納得するだろう。

もしも中央にあるのがこの蝶たちの食草ならば、この標本は生態系を再現しているわけで、十二歳の少年のこの新鮮な発想にはちょっと驚く。

少年の関心は海にも向いていた。葉山の御用邸から遠くない油壺に東京帝国大学の三崎臨海実験所があった。ここから船を出して海の生物の標本を採集し、得たものを観察し分類する。これが生涯を通じての営みになった。

ある時、引き揚げた網にコウイカが入っていて、これが墨を吐いて作業に当たっていた青木熊吉の正装のシャツを汚した。

青木熊吉は研究者ではなく海洋生物の採集人という職掌で、ちょっとした人物として知られている。網の扱いなど万事につけ有能で、しかも言葉のセンスがいい。新種に和名をつける時におもしろい案を出す。ウニの仲間で甘食パンにそっくりのものをカシパンと命名したのは彼だし、腕が分岐して絡み合った深海のヒトデにテヅルモヅルという名をつけたのも彼である。

ちなみに海洋生物の和名にはおもしろいものが多い。深海に棲(す)んで全長三メートルを超えるリボンのような優雅な魚の名はリュウグウノツカイ。タコノマクラとブンブクチャガマはウニの一種。サクラガイだってあの色からいえば正に桜貝だし、もっと淡いユウカゲハマグリというのもある。

さて、コウイカの墨で汚れた青木熊吉のシャツを見た裕仁少年は「爺(じい)や怒るなよ、御所へ帰ったら新しい服をやるぞ」と言った。

しかしその後、なんの沙汰(さた)もない。

やがて裕仁くんが長じて即位した後、青木熊吉は「日本国広しと雖(いえど)も御上(おかみ)に貸しがあるのは俺一人だ」と威張っていたが、これが天皇の耳に入ったのか、十九年後にシャツ代として金一封が送られてきた。これで自慢のタネがなくなったと熊吉さんは悔しがったという。

裕仁氏は大正(たいしょう)十四（一九二五）年に皇居内に四十五坪の生物学御研究室を造った。最も力を注いだのはヒドロゾア、すなわち刺胞動物、簡単に言えばクラゲの類の分類。昭和三（一九二八）年に吹上御苑(ふきあげぎょえん)に移って生物学御研究所と改名されたが、後にここには一万三千二百点のヒドロゾアのプレパラート標本が収蔵されていたという。

研究所の備品に対面顕微鏡があったと知って、ぼくは研究の日常を垣間（かいま）見た気がした。一つの標本を二人で向かい合って同時に見ることができる。専門家と裕仁さんが同じものを見ながらこれはどの種に相当するか議論する。

公務がないかぎり月曜日の午後と木曜の午後を研究所で過ごし、土曜日はまる一日、生物学者の服部廣太郎（はっとりひろたろう）と共にここで過ごしたというから、その熱意は察するにあまりある。自由になった途端に駆けつけるという感じ。政治の腐敗や軍の横暴によって壊れてゆく大日本帝国から天皇の衣を脱ぎ捨てて生物学に逃げ込んでいたのかもしれない。

彼にとって相模（さがみ）湾というフィールドはとても重要だった。油壺から船を出せるし、下田（しもだ）の須崎（すざき）御用邸を拠点にしたこともあった。ヒドロゾア専攻というわけではなく、黒潮の流れ込むこの湾の特異な生態系はすべて観察の対象だったと言うことができる。

一九四一年（太平洋戦争勃発（たいへいようせんそうぼっぱつ）の年！）にコトクラゲを発見したのは裕仁さんの大きな業績になった。これはクシクラゲの一種で、クラゲと名がついているが刺胞動物門ではなく有櫛（ゆうしつ）動物門に属する。

ここで教科書を復習すれば、生物の分類は、

界・門・綱・目・科・属・種

と七段階を経て個体に至る。

例えば我々は、

動物界・脊椎動物門・哺乳綱・霊長目・ヒト科・ヒト属・ヒト

である。

底生のコトクラゲの採集とその同定は門にさかのぼっての発見で、これはなかなかの偉業と言うことができる。

リンネの二名法によってつけられた学名は、

Lyrocteis imperatoris Komai

命名者は協力していた京都大学の駒井卓。種にゆかりの名を添える献名の慣習によって「帝王の」という意味のラテン語の *imperatoris* が添えられた（学名は検索のためのものだからカタカナにしてはいけない）。最後の *Komai* は命名者の名。

相模湾での採集には葉山丸という十六トンの船が使われた。口を大きく開けた底引き網で海底をさらい、得られたものを船の上でざっと見て、平凡なものは速やかに海に返す。無駄な殺生はしないという点に裕仁氏は意を用いたらしい。

見慣れないものがあれば持ち帰って観察し、標本にする。新種ならば論文を書いて命名という手順に移る。

戦争になってさすがに時代離れした海洋生物の研究の遂行は難しくなり、葉山丸は海軍に徴用された。

敗戦というカタストロフの後、満身創痍ながら葉山丸が戻ってきた。日本が元気になるにつれて船は五十四トンの「はたぐも」に替わり、八十四トンの「まつなみ」と、まるで高度経済成長に添うように大きくなったが、オイルショックを機に相模湾での採集は終わった。海上保安庁の護衛をつけてまでの活動は国民の理解を得られないと判断されたのだろう。

吹上御苑の生物研究所

護衛と言えば、ここまでぼくは裕仁さんが生物学者であることと天皇であることを区別して考えてきたけれど、彼が研究者としてとんでもなく恵まれていたことは否定できない。大がかりな研究所、専用の採集船、協力する多くの優秀な専門家、すべて普通では望めないことである。

もともと博物学には王侯貴族の趣味という色合いが濃かった。基本的には珍奇なもののコレクションだ。王宮内に一室を設けて世界中の珍しいものの標本を並べて互いに競い合う。これをドイツ語では「驚異の部屋」と呼んだ。船と交易の発達によって世界は狭くなり、高価で取引される標本を求めて多くの採集者が辺地に散った。ダーウィンと並んで自然選択説の提唱者となったアルフレッド・ラッセル・ウォレスは南米とアジアで計十二年に亘って採集に従事したが、その目的は科学研究と同時に標本の販売だった。彼はマレー諸島で十二万五千点以上の標本を集め、そのうちの千点は新種だったという。

日本で博物学の前身と見なされる本草学はもともとは薬草の研究だったが、これもプラント・ハンターという名を介するとそのまま博物学に繋がる。大英博物館の基礎を作ったハンス・スローンという男は西インド諸島に行って、カカオとキニーネ（マラリアの薬）で財を成した。植物は儲かるのだ。

ロンドンから遠くないキュー・ガーデンは植物園であるが、教養主義と同時に実利のための施設でもあった。ここが役に立った最も有名な例としてブラジルから盗み出されたゴムの木の栽培がある。

ゴムは有用な木で需要も多かったから原産地であるブラジルは独占を図って苗木の搬出を禁止していた。その警戒網を潜ってヘンリー・ウィッカムというイギリス人が七万粒のゴムの木の種を持ち出すことに成功した。

一八七六年六月十四日、種はキュー・ガーデンに届き、翌日には蒔かれた。そういう技術を持っていたのがこの施設だったのだ。種の四パーセントが苗木にまで育ち、セイロン（現在のスリランカ）やシンガポールに運ばれてゴム園が造られた。その後、ゴムの栽培はマレー半島全域に広がり、日本人が経営するに至ったのだが、その繁栄のありさまは金子光晴が『マレー蘭印紀行』（中公文庫）に書いているとおり。

ムンバイやシンガポールやコロンボに今も立派な植物園があるのは、大英帝国のグローバルな経済戦略の置き土産である（この三箇所ぜんぶに行っているぼくも物好きだが）。

こう書いていて、この文章のはじめのところで科学と技術を分けて考えると言いながらその基準がみるみる崩れてゆくのを自覚する。科学が発見したものを技術はすぐに応用して利に結びつける。その果てに世界中の農業を蚕食するモンサント社のような怪物が生まれる。営利企業はいつだって目前の利益しか考えない。株主に対する次期の配当しか考えない。サイクルが速すぎるから失敗した時にはもうリカバリーの時間はない。失敗がその企業の倒産で終わってくれればいいが、往々にして結果は環境への大きなダメージを残す。チッソも東京電力も倒産さえしなかった。

帝王の科学は決して技術に繋がってはいけない。核開発はもちろん青色発光ダイオードのようなことになってはいけない。その点で裕仁氏のヒドロゾアなどの研究や明仁氏のハゼの分類は絶対安全だった。文仁氏の家鶏の系統史は少しだけ技術の方に足を踏み入れていると言えるだろうか。

生物学研究はあの一家の伝統であり、吹上御苑の生物学研究所は今も機能しているのだ。

手元に裕仁さん等の手になる本が一冊ある。

『相模湾産後鰓類図譜』

後鰓類（こうさいるい）とは軟体動物門腹足綱に属する海洋生物で、ウミウシ・アメフラシの仲間。鰓（えら）が心臓より後ろにあることからこう名付けられた。

刊行は昭和二十四（一九四九）年。岩波書店から定価三千円で発売された。物価の差を考えると今ならば三万円というところだろう。五十葉のカラーの図版が精緻（せいち）で美しい。海から揚がったばかりのウミウシを描いたのは奥田浩男と加藤四郎。「序」は前に記した服部廣太郎で、「諸種の生物を御採集になったことは、前後幾百回の多きに及んで居る」と記している。

その営みを裕仁さんは和歌に詠んでいる――

しほのひく岩間藻のなか石のした海牛をとる夏の日ざかり

静かなる潮の干潟の砂ほりてもとめえしかなおほみどりゆむし

いかにも帝王らしいおおどかな詠いぶりである。

ちなみにユムシは海岸動物の一つで、環形動物門という一部門を成す（かつてはユムシ動物門に属していた）。食べられなくはないがまずは釣りの餌くらい。ただし裕仁氏がこのオオミドリユムシの歌を詠んだのは相模湾ではなく瀬戸内海（せとないかい）の興居島（ごごしま）（愛媛県）だった。

雨崎でウミウシを探そう

天皇としては、敗戦の詔勅から、人間宣言、東京裁判で訴追されないことが決まり、さかんに全国を行幸し、新憲法が発布・施行されて「象徴」という新しい身分が定まり、初めて記者会見を行い、皇族の多くが民間に降（くだ）る、など激動の数年間にあっても裕仁氏の生物学研究は続いていた。この本が出る一か月ほど前にはソ連が初の核実験をしている。そういう時代だった。

この図譜を見ているうちに生きたウミウシが見たくなった。そう難しいことではないようだからちょっと行ってみようと思った。どうせなら裕仁さんに縁のある昭和の日（四月二十九日）がいい。

ぼくの初期の作品に『スティル・ライフ』（中公文庫）という小説があって、この中に雨崎という地名が出てくる。三浦半島の地図を見ていてたまたま発見し、名前がおもしろいと思ったので使った。

ぼくの小説の語り手はガールフレンドに、「ここはいつも雨が降っているんじゃないのかしら。決して乾かない土地なのよ、きっと」と言われて二人で行ってみる。でも雨は降っておらず気持ちのいい海岸だった。ガールフレンドは去ったけれど、翌年からも同じ時期に友だちを誘ったり一人でだったり、毎年一度は行くようになる。

ぼくもこの話を書いている途中で行ってみたし、その後も一、二回訪れた。ここの風景をもとにデヴィッド・ホックニー風の写真作品を作ったことがある。県道二一五号線の小浜というバス停から海岸に沿って十五分ほど歩いたあたり。剱崎の一部で、大浦海水浴場よりは北。ここでウミウシを探そう。

ところが、昭和の日の前日になってとんでもない手落ちに気づいた。なんと当日の干潮は午前八時と午後八時。これでは午後に行ってもタイドプール（潮だまり）は現れず、ウミウシなどとても見られない。多忙など言い訳になるまい。要するに科学する心が不足していたのだ。

予定を変えようにも他の日はずっとふさがっているから、ともかく磯あそびということで行ってみることにした。半分は悔し紛れだ。

バフンウニ、イワガニ、ヒザラガイ

当日は天気もよく、あまり暑くもなく、まずは絶好のお日和だが、これで潮が引いてくれたらと言っても詮（せん）ないこと。英語で「Time and tide wait for no man.（時と潮は人を待たない）」と言うではないか。

しかたがないから水面より上にいる生物を見て歩く。時間によってはこのあたりも潮に浸るから生物相は多彩だ。

珍しいものは何もなかった。

見られたのは——

ヒザラガイ　（軟体動物門）
ヨメガカサ　（軟体動物門）
カメノテ　（節足動物門）
イワガニ　（節足動物門）
バフンウニ　（棘皮動物門）

などなど。

このうち、イワガニとバフンウニは遺骸だった。そうでなければすばやいイワガニの写真などまず撮れない。

イワガニは他にイシガニとイソガニがいるから名前を混同しやすい。バフンウニは棘がみな取れていたが、もともとウニの標本は棘を外して作るのだから問題はないと思いつつ、これだけは丁寧に梱包して持って帰った。

分類学は生物学の基礎

勢い込んで空振りという失敗はかつてもあった。

日本の自然を相手にシリーズで紀行文を書いていた頃、オオミズナギドリを追いかけてみようと思い立った。これは大型の渡り鳥で、日本近海の離島に巣を作って雛を育て、晩秋になると海を渡ってオーストラリアまで行く。数千キロの大旅行をするのだ。日本での観察はそう難しくない。離島まで行ってそっと巣に近づけばいい。離島で営巣するのは天敵を避けるためだが、ぼくは天敵ではない。

しかしそれだけではおもしろくない。そう考えて、オーストラリアで暮らす姿も見に行くという壮大なプランを立てた。では具体的にはオーストラリアのどこに渡っているのか？　専門家に聞こうと山階（やましな）鳥類研究所に問い合わせた。

その答えは、「あちらでは陸地には近づきません。ずっと空を飛び回り、餌を採るのと休憩のために時おり海面に降りるくらいです」というものだった。育児のためにしかたがないから陸に巣を作るのであって、あとはずっと大空の住人なのだ。相手の方は親切だったけれど、それでも「鳥を相手にすると言って、そんなことも知らないの」と言われた気がして身をすくめた。

分類学（タクソノミー）は生物学の基礎である。

人間は周囲の自然を見て、長い時間をかけて丁寧に詳しく見て（つまり観察だ）、いくつものモノを同じと違うに分けた。動くモノ、動かないモノ、時間を経て変わるモノと変わらないモノ。色や形やふるまいや餌の採りかたや攻撃力や味や毒。分ける基準はどんどん細分されて世界は数百、数千、数万、数百万のモノから成ることが明らかになってきた。

クロード・レヴィ＝ストロースは『野生の思考』（みすず書房、大橋保夫訳）でフィリピンのハヌノー族が「その地に棲息する鳥類を七十五種類に分類し……蛇十二種類前後、……魚六十種類……淡水、海水の甲殻類十二種類以上、同数のクモ・多足類……を区別する」と書いている。彼らの動物認識は四百六十一種類に及ぶ。

ここから種という概念が生まれる。同じモノと違うモノ。世界の素材は互いにグラデーションで繋がっているのではなく、個として截断されている。米と麦の性質に中間はない。カメノテとイワガニの間に子は生まれない。いわば種はそれぞれの箱の中に入っている。

ここまでが分類学だ。

その先は進化論になる。それぞれの箱に入って安定して継続しているはずの種からどうして新しい種が生まれるのか。ウミウシだっておそらく何百種にもなる。何千種かもしれない。そのからくりはどうなっているのか。

しかしそれを探究するのは帝王の学ではなかった。興味は分類という地道で着実な分野に限定された。その実績は相模湾産の「後鰓類」だけでなく、「海鞘類」、「蟹類」、「ヒドロ珊瑚類および石珊瑚類」、「貝類」、「海星類」、「甲殻異尾類」、「吸管虫エフェロタ属」、「蛇尾類」、「海胆類」、「海蜘蛛類」、「尋常海綿類」、「ウミシダ類」と続いて公刊された。植物についても『那須(なす)の植物』など七点が出ている。その一つ、「変形菌類」はいわゆる粘菌で、これを巡っての南方熊楠(みなかたくまぐす)との出会いは広く知られている(昭和四年のこと)。

元首としては歴代の天皇の中でもとりわけ波瀾(はらん)に満ちた多難の生涯だったが、生物学者としての裕仁氏は幸福な紳士であったと言えるだろう。

日時計と冪とプランク時代

こういうことを告白するのは恥ずかしいものだが、実は一円玉貯金をしている。買い物で入手した一円玉は決して使わずに貯金箱に納める。貯金箱が大きな白いスヌーピーの形であることはもっと恥ずかしいか。

ある程度まとまったらしかるべきところへ寄付する。大した額ではないけれど、ともかく日常の現金やクレジット・カードやＳｕｉｃａの類、収入や支出や税金などとは別の自分なりのお金の流れを持っていたい。地域通貨のような自立の精神、というほどのものでもないのだが。

先日、しばらく国内を転々と移動した後で帰宅した時、一円玉専用の小銭入れ（最も安いものをと探したらビニールの携帯灰皿が最適だった。たしか七十円くらいではなかったか）にぎっしりと一円玉が入っていた。スヌーピー神社に奉納する時はかならずうやうやしく金額を確認することにしている。しかし数えるのが面倒くさい。

そこで一計を案じた。量るのだ。

アルミの一円玉は一枚が一グラムと法律で決まっている。タニタ製のクッキング・スケールに載せて九十一グラムという結果を得た。この秤は今時のものだからデジタルで、一グラム単位。

九十一グラムと出たのだからここには九十一円あると信じればいいのだが、そこが煩悩というか、どうしても確かめたくなる。結局は卓の上に一円玉を並べ、十枚の列を九つ作って一枚余ることを確認した。無駄な手間となった。

しかしこれが千枚だったらどうだろう？

それだけ数えるのは大変だし、秤で量るだけでその数字が得られればありがたい。だが、その一方、精度が問題になる。そもそも一円玉の重さは千分の七までの誤差が認められている。千枚あっても九百九十三グラムから千七グラムまでの間に収まっていればいいのだ。今の技術だから誤差はずっと少ないと思うが、実際どれくらいなのか？

実験室などで使う電子秤は千グラムを量って〇・〇〇一グラムまで表示される。こうなると一円玉の数を数えるのではなく造幣局の技量を問うことになって話が違ってくる。流通の過程ですり減るなど一円玉の履歴も問題になる。

大量に作られる小さな部品の数を数えるためのカウンティング・スケールというものが市販されているが、原理はぼくがやったことと同じだ。

テクノロジーの殿堂、ドイツ博物館

しばらく前のことだが、ミュンヘンに行った時、前々から気になっていたドイツ博物館という施設に行ってみた。気になる理由は、なにしろ名前が大きいし、基本的性格は科学博物館であると聞いていたからだ。

実際には科学技術博物館という印象が強かった。偉大なるドイツをつくったテクノロジーの殿堂。とりわけ航空機の部門が充実していて、実物がたくさん展示してあり、その威容はワシントンD.C.のスミソニアン国立航空宇宙博物館に比肩できるほどだった。戦前・戦中のものも多いのを不思議と思ったのは、同じ敗戦国でありながら日本にはこの種の施設が皆無であるからだ。軍用機はみな進駐軍に破壊され、その後も航空産業が封じられたためだろうが、どこがドイツと違ったのだろう。メッサーシュミット Me 262という双発のジェット（！）戦闘機を見ながら、零戦(ゼロ)ばかり誇ってもいられまいと思った。

技術の展示はともかく、科学の部門もなかなかおもしろい。ここからは一円玉の話の延長なのだが、度量衡の部屋に自記式の体重計があった。乗ると中でメカが動く（前面がガラス張りになっていて見える）。そこで一ユーロ貨を入れると更にごとごとと動きがあって、数秒後に体重をプリントしたカードがポンと出てくる。昔の日本の鉄道の硬券と同じサイズ同じ厚みで、表に体重、裏に日付が刻印してある。体重の単位は半キロ。

大事なのはこれがＩＴ技術はおろか電気も使わない完全機械式であることだ。人が乗るとその体重の分だけ重りが動き、それがカムとリンクを経て数字を刻んだ印字リングを回して数字がカードに印刷される。フィリップ・マテウス・ハーンなる人物が一七六九年に発明した、と説明にあった。

このサイズに収まっているのだから、基本のところはバネ秤なのだろう。重りとカムとリンクは体重によるバネの伸びを拡大して印字機構に表示させるための仕掛け。動力は体重。

ドイツ博物館所蔵の自記式体重計

しかし、自動式の天秤秤が作れないわけではない。こういうのはどうだろう――まず天井から吊った大きな滑車がある。ロープが掛かっていて、一方は人の乗る台に結ばれ、他方は重い鎖に繋がっているが、鎖の下の方は床の上にとぐろを巻いている。台に人が乗ると体重でロープは下に引かれ、それが滑車を介して反対側の鎖を引き上げる。鎖の重さと人の体重が釣り合ったところで安定。動いたロープの長さを滑車の回転角で検出して自動印字する（このメカを夜中に思いついて、はっと興奮、目が冴えてしまった）。

近年の電子式の秤はストレイン・ゲージなどのセンサーを用いる。加わった力による歪みをホイートストン・ブリッジを用いて計測してアナログ表示していた。最近のデジタル式について詳しいことは知らないがそう違ってはいないだろう。

この種の機器は地球の上でしか使えない。

月に行って、宇宙旅行でダイエットの成果が出たかを知りたい時に普通の体重計では無理だ。先の自記式体重計で121（六〇・五キロ）と表示されたぼくの体重は月面では一〇・〇八キロになってしまう。

こんな時は、本当の天秤秤を持っていけばいいのだ。今やそんな体重計はないけれど原理的には可能である。天秤の一方にぼくが乗り、同僚がもう一方に分銅を載せてゆく。釣り合ったところで分銅の重さを足し算して結果を出す。あるいは前記の自動式天秤秤。あ、宇宙服の分を引かなければ。

天秤秤があれば月はおろか火星でも（凍える）、木星でも（地面がない）、太陽でも（暑い）、あるいはいちばん近い恒星であるケンタウルス座のアルファ星を巡る惑星の上でも、百三十億光年の彼方にある未知の惑星の上でも、ぼくの体重は計測できる。

凸レンズで集めた太陽光の熱で、導火線に着火して午砲が鳴る日時計

この普遍性が近代以降の宇宙論の基礎だ。

屋上の日時計コレクション

度量衡のコーナー、体重計の先におもしろいものがあった。二十センチほどの砲身を持つ真鍮(しんちゅう)の大砲の上に大きな凸レンズをセットした装置。

これは自動的に午砲を打つ一種の日時計である。

ぼくはこれと同じものをパリの公園で見て、小説に書いたことがある。ある男の思い出話なのだが、ちょっと引用しよう――

「ある晴れた日の昼頃、私がパレ・ロワイヤルの庭園を歩いていたら、芝生に二十人ほど人が集まって何かを囲んでいた。私は好奇心にかられて近づいてみた。みな学生らしい。彼らの輪の真ん中に何かの装置があった。石造りの台座の上に金属でできたソーセージのようなものが空に向いて固定してある。その後ろにある枠に一人が白い手袋をはめた手で大きなレンズをはめ込もうとしていた。脇に立った別の学生は腕時計をにらんでいる」

「何だったの?」

「まあ、黙って聞いて。私がソーセージの前の側に回ろうとしたら、激しい勢いで止められた。危ないと言うんだ。言われて見ると、彼らの輪は馬蹄形(ばていけい)にその装置を囲んでいて、前には誰もいない。見物人の一人に『何しているの?』と聞くと『自動午砲の再現実験』という」

「何、それは?」

「こういうことなんだ。一七八六年に某ルソーなる男が小さな大砲をここに据え付けた。近くにあった日時計の代わりだったらしい。おもちゃのような大砲とレンズが組み合わせてあって、正午になると太陽の光が大砲の導火線に集まるようになっていた。そこは日時計と同じ」

「わかった」とぼくは言った。「時報なんだ」

「そう。太陽が真南に来ると導火線に点火して空砲がドン! と鳴る。この装置をこの日だけ復元しようという実験」

「うまくいったの？」

「レンズを塡め込むのが間に合わなかった。昼を二十秒ほど過ぎてしまった。白手袋の学生は自分でレンズを持って導火線に光を集め、それで大砲はドン！と鳴った。見物の仲間はその直後には拍手したけれど、あとは口々に手際の悪さを揶揄した。お祝いのシャンパンが用意してあったから、私も相伴に与った。これがパリの春だよ」

（「人生の広場」）

パリの春はともかく、ミュンヘンで実物に出会えてぼくは嬉しかった。

この時計の横には実に明快な原理の蠟燭時計が金属の皿の上に立ててあった。普通の白い蠟燭の側面に一定の間隔でベアリングの球のような鋼球が埋め込んである。火を点じると蠟燭は決まった速さで燃え、やがて鋼球が皿に落ちて派手な音をたてるという仕掛け（昔の日本ではお女郎さんとのお付き合いの時間を線香で計ったけれど）。

その暗い展示室を出たところに屋上へのドアがあった。開けて出ると、なんと十を超える数の日時計が燦々と日を浴びているではないか。それぞれ形が違い、設置のしかたが違う。前の日にこの町の教会の壁に造られた日時計を見たことを思い出した。

十年前に行ったフランス・シャルトルの大聖堂には天使が捧げ持つ日時計があった。ヨーロッパの人たちは今も日時計というものが好きなのかもしれない。

日時計はグノモンと呼ばれる指針と文字盤から成る。太陽が天球上を移動するにつれてグノモンが落とす影も動く。そこに目盛りを刻んでおけば時間が読み取れる。

問題は太陽の動きがそう単純ではないことだ。ことを簡単にするために南中の時刻すなわちその土地の正午だけを考えてみよう。その時の太陽の高度（水平線からの角度）は季節によって異なる。夏至にはいちばん高く冬至にはいちばん低い。それだけならばいいが、これが左右にもずれるのだ。その理由は地球の公転軌道が真円ではなく楕円であることと、地軸が公転面に対して二十三度半ほど傾いていることから説明される。だから毎日の同じ時刻の太陽の位置を一年に亙って記録して一枚の図に描くと、その軌跡は細長い8の字の形になる（この形をアナレンマと呼ぶ）。8の字の縦方向の動きは太陽の高さであり、横方向のずれは公転軌道の楕円と地軸の傾斜によって説明される。

これを均時差と呼ぶのだが、補正するためにはずいぶん複雑な図形を文字盤に刻まなければならない。季節による補正の目安はしばしば黄道十二宮の星座の印で表される。

エラトステネスが割り出した地球の大きさ

ドイツ博物館の屋上の日時計コレクションの中にユニークなものがあった。二線型 bifilar という方式。平面の文字盤の上に盤面に平行に二本の針金を張る。針金どうしは直交しているが、互いに触れあってはいない。文字盤には複雑な図形が描いてあり、二本の針金の影の交点が常に正確な時間を表す。アナレンマの縦の動きと横の動きを分離するのだろう。一九二二年にドイツの数学者フーゴー・ミフニックによって発明された。

もう一つはグノモンが先のふくらんだ棍棒型のもの。これで自動的に誤差が補正され、棍棒の影の輪郭のところで正確な時間が読み取れるという。これは一九六五年にマルティン・ベルンハルトという人が発明した。日本の家紋の鶴丸（JALのマーク）のような文字盤の形はどんな時も文字盤そのものの影が邪魔にならないようにするためだそうだ。日時計という単純な道具は二十世紀になってもまだ改良の余地があるらしい。

ホフマン・アルビンという人が作った精密な日時計が市販されている。「計算上の誤差は一秒、読み取り誤差は三十秒」と豪語するのだが、アナログの文字盤でそこまで読み取れるものだろうか（ちなみに文字盤の目盛りは五分刻み）。大気の状態に由来する揺らぎの影響はないのだろうか。高い方のモデルで千七百五十ユーロ（http://

ドイツ博物館の屋上に展示されていた「鶴丸」の日時計

www.precisionsundials.eu)。

この屋上で思い出したミステリがある。『日時計』（創元推理文庫）。著者のクリストファー・ランドンは知らないが訳者の丸谷才一（まるやさいいち）はよく知っている。

イギリスでマーガレットという名の三歳の少女が誘拐される。目的は脅迫で、犯人は少女の父にあることをさせようとする。少女がまだ生きていることを証明するために一週間ごとに写真が送られてくる。同じ場所で同じ時間に撮った写真。探偵はこの写真を手がかりに撮影場所を特定しようとする。少女の身長とその影の長さの比から太陽の高度を割り出し、日付との関連からその地の緯度を割り出し、その他の条件も組み合わせて、それがフランスのロアール川に近いシャトーであると推理、救出に向かう。

シャトーと怪しい宿屋とワイナリーと川辺で波瀾(はらん)万丈の大冒険のあげく、もちろんマーガレットは救出され、ロマンスは実る。めでたしめでたし。

原題は「THE SHADOW OF TIME」「時間の影」。

先にホフマン・アルビンの精密な日時計のことを書いたが、これについてもう一つ気になることがある。太陽が点光源でないのにそこまで誤差を追い込むことができるだろうか。

誰もがまぶしく知るとおり、太陽は視角にして三十分（〇・五度）ほどの円盤である。これがたまたま月とほとんど同じだから皆既日食が起こるのだが、それはそれとして、視角が三十分あるということは太陽が自分の直径だけ動くのに時間にして二分を要するということだ。大気による屈折がなければ、そして夏至の日の北回帰線上など太陽が鉛直に沈む場合なら日没の時に太陽の下端が水平線に接してから沈みきるまでに二分かかる。つまり太陽は点光源ではなく、その影には二分分の幅があるというわけで、そうなると日時計で誤差三十秒は難しいだろう。影はそこまでシャープなエッジを持たない。

太陽と影の話ではエラトステネスの観察と推論がおもしろい。ヘレニズム時代にアレクサンドリアの図書館長だった彼は、エジプトの南端のシエネ（現・アスワン）では夏至の日に井戸の底まで陽光が届くと知って（つまりシエネは北回帰線上に位置する）、同じ日にアレクサンドリアに立てた棒から太陽の天頂角を知り、これによってシエネとアレクサンドリアの距離は地球全周の五十分の一と推測し、地球の大きさを割り出した（シエネとアレクサンドリアの間の距離は実測に依（よ）ったのだろう。人を雇って歩かせたという説もある）。

その数値はなかなか正しいものだった。それ以上に大事なのは、地球が球であると仮定したこと、また太陽が充分に遠くて太陽の光線は平行と見なせるとしたことだ。ここで彼は地球の上で通用する理屈はそのまま太陽のあたりまで通用すると考えた。太陽は具体的なモノだ。

しかしその後、天界は地上とはまったく別の世界だと考えられるようになった。プトレマイオスの天動説ではなんらかの現象が起こるのは地表からせいぜい月までで、その先の太陽や惑星や恒星は決まった運動を繰り返すだけの恒常的な存在と考えられた。惑星の複雑な動きを説明するために周転円など手の込んだ仮説が導入されたが、それでも天動説は当時の観測精度の範囲内では整合性のある理論だった。

一六一〇年にガリレオが望遠鏡を使って木星にも衛星があることを発見した。地球と月の関係がそのまま外惑星にも適用できる。では木星は地球と同じように物質でできているのではないか。宇宙は我々の足元から僻遠の星までシームレスに繫がっているのではないか。

地球も、そこの支配者である人間も、どんな意味でも特権的な存在ではない。キリスト教の全知全能の神に祝福されたものではない。ガリレオは更に金星の満ち欠けと太陽の黒点を発見して、いわば天界の物質性を確信した。

一六六五年にニュートンは万有引力という仮説を提唱した。これによればリンゴが枝から落ちることから惑星の運動までが矛盾なく説明できる。「万有」は原語ではuniversal「宇宙的」ということだ。引力は普遍である。

世界は乗法的・冪的なのかもしれない

五歳くらいの時、ぼくは北海道の帯広という町に住んでいた。そこがぼくの主観的な世界の中心だったが、ここ以外にも人が住む地があることは知っていた。札幌には伯母がおり、東京には父母がいる。それらの地と帯広は線路で結ばれている。

この認識はなかなか衝撃的だった。踏切や駅に行けば線路は見ることができる。ぴかぴか光って地の果てまで延びているように見える。しかし、こういうものを繋いで本当にそんなに遠いところに達することができるのか。見えない札幌は抽象的な概念でしかないが線路は具体物だ。このギャップが子供には埋めがたかった。

そういう疑問を抱いてから六十数年の後、つい先日になってぼくは自分の疑問のからくりに気づいた。五歳のぼくは足し算しか知らなかった。だから、大人が何人もかかって長さ数メートルの線路を一本敷設し、その先にまた一本敷設し、その先に……という風に足し算で考えて、それが野を越え山を越えて札幌まで届くという、その敷設の努力が無限のもののように思われた。労働の総量は子供の想像力を超えるものだった。

しかしその時、大人は、卑劣にも、ことを掛け算で考えていたのだ。十メートルの線路を敷設するのに要する労働を「人数×時間」で計算し、それを何倍にすれば札幌までの距離を満たすことができるか、そういう風に考える。これは言ってみれば支配者の発想である。現場の労働者にとってはあくまでも、路床を整備し、枕木を設置し、その上に十メートル分のレールを置いて犬釘（いぬくぎ）で固定するという作業の足し算的な繰り返しでしかない。そして幼いぼくはその労働者の側に身を置いていた。北海道の鉄路の多くは囚人の労働の成果である。ぼくが乗法という抜け道を知ったのは数年先、小学校に行ってからのことだった。

乗法はずるい。

ぼくはそれでも数というものを、乗法まで含めて、なんとか受け入れた。石牟礼道子は数そのものを拒む——

数というものは無限にあって、ごはんを食べる間も、寝てる間もどんどんふえて、喧嘩が済んでも、雨が降っても雪が降っても、祭がなくなっても、じぶんが死んでも、ずうっとおしまいになるということがないのではあるまいか。数というものは、人間の数より星の数よりどんどんふえて、死ぬということはないのではあるまいか。稚い娘はふいにベソをかく。数というものは、自分の後ろから無限にくっついてくる、バケモノではあるまいか。

（『椿の海の記』〈河出文庫〉）

しかし、宇宙を語るには乗法だけでは間に合わない。なお一層ずるい方法が要る。冪である。xのy乗というやつ。

一九七七年にチャールズ・イームズとレイ・イームズが作った『パワーズ・オブ・テン』という九分ほどの短篇映画がある。ある九月の午後、シカゴのミシガン湖近くの公園で若い男女がピクニックをしている。男は昼寝をし、女は本を読む。カメラはその光景を真上から捉え、十秒ごとに被写体のサイズが十分の一になる速度で引いてゆく。やがて湖ぜんたいが見え、地球が見え、太陽系が視野に収まり、銀河系を見てなおもカメラは後退を続けて、10の24乗まで行って宇宙というものの全体像を見る。

話はそこで終わらない。同じコースをピクニックの場まで五倍の速度で戻った後、今度は微小の世界に入ってゆく。男の手の皮膚に入り、10のマイナス5乗で細胞核を見て、マイナス7乗でDNAを見て、マイナス16乗で原子核をおぼろげに見るところまで至る。この間の移動は正にシームレス。

タイトルの『パワーズ・オブ・テン』は10の冪という意味。原題は Powers of Ten で、この科学映画の傑作は YouTube で見られる。

要するに、宇宙は五歳の子供がクローバーの葉を一枚ずつ数えて四枚のを探したような加法の範囲に収まるものではなく、乗法や冪が関わるように階層的だった。一本ずつ線路を敷設していては宇宙の果てまでは行けない。そう知った上で宇宙に果てがあることに驚かなくてはならないが、多数の宇宙が併存しているという今風の考えを容れるなら「果て」の概念もまた変わるだろう。

加法で済むのはごく局地的な問題だけで、本来この世界は乗法的・冪的なのかもしれない。本当に大事な場面になると冪が登場する。

例えば、原子が静止する絶対零度への道は冪でしか記述できない。マイナス二百七十三・一五度と桁を並べて乗法的に記述されるが、そこへの接近は冪的で、たとえばボース＝アインシュタイン凝縮を実証するために提唱されているのは絶対零度を0とするケルビン・スケールで1ピコ度、つまり一兆分の一度である。我々がピコ（10のマイナス12乗）やフェムト（10のマイナス15乗）、ギガ（10の9乗）やテラ（10の12乗）などの冪的な接頭辞を日々用いるようになっているのは、そうしなければこの世界は記述できないからだ。

あるいはビッグ・バンの話。今の天文学＝物理学はビッグ・バンの瞬間に迫ろうとしている。そこは一種の特異点であって、達することはできないけれど漸近的に近づくことはできる。だから宇宙誕生の0秒から10のマイナス43乗秒までの間をプランク時代と呼んだりする（物理学者マックス・プランクにちなむ命名）。これが時間の最小単位だという。

宇宙の偏差は創造者の気まぐれか

天界が地上とは違う世界であることを否定したのは数学ではなかったか。結局は行く先々どこでも同じ数理がすべてを支配する。全能の神も別の数学体系は作れなかった。言わば、数学はいつも天文学の先回りをして遠い星で待っていた。出し抜くことはできなかった。

それでも残る謎がある。それがぼくには数学の隙間のように思われる。例えば多体問題。

まずはラプラスの魔物を紹介しよう。

ニュートン力学は決定論である。ある瞬間にある物体の位置と運動量が知れればその物体のその後の動きは確実にわかる。宇宙のすべての物体の位置と運動量がわかれば、宇宙の未来は計算できる。それを知る存在を仮に（提唱者の名を取って）ラプラスの魔物と呼ぶ。だから二つの天体が互いの引力の影響下にある時、この二つの動きは厳密に計算できる。その動きは、天体を理想化して質量のある点と見なすならば、未来永劫(えいごう)に亘って予言できる。

ところがこれが天体が三つになると解析的に結果が出せなくなるのだ。五次以上の方程式に解を導く公式がないのと同じように、三個以上の天体の運動は記述できない。しかし、天体はその状況においてあるふるまいをするのだし、そのふるまいの要因は互いの位置と質量と運動量だけで、どれもが単純な数値でしかない。これがなぜ解けないのか、ぼくにはどうもよくわからない。そこでカオスという言葉が登場したりするが、そんなに複雑なことなのだろうか。

三体問題は特異な場合だけは解ける。その解をラグランジュ点と呼び、三つが正三角形の頂点をなす位置にある場合をトロヤ点と称する。地球と月に対するトロヤ点に置かれた人工衛星の軌道は安定なのでスペース・コロニーを設置するのに最適とされ、しばしばSFのテーマになっている(例えばぼくの『やがてヒトに与えられた時が満ちて……』〈角川文庫〉とか)。

数学は厳密だが宇宙は偏差に満ちている。そこに創造者の好みや気まぐれを読み取りたいと思うけれど、そうなると唯物論という現代の宇宙論の大原則に水を差すことになる。

しかし、その誘惑もまた強いのだ。

無限と永遠

一九九〇年の秋、ぼくはDTPの練習をしていた。デスクトップ・パブリッシング。机上のコンピューターだけで雑誌や本の誌面を作る作業。その数年前から執筆はワープロにしていたし、敬愛する友人であるデザイナーの戸田ツトムからマッキントッシュのパーソナル・コンピューターを教えられていたから、この分野にまったく無知ではなかった。SE／30は懐かしい機種だ（当時のワープロ・ソフトは使い物にならなかったけれど）。

それで『科学朝日』という雑誌の一部を三か月に亘ってジャックし、自分で作った誌面で埋めた。編集部に四ページ分を空けたままで待っていろと言ったのだから相手も不安だっただろう。納品はラボで出力した製版フィルムだったと思う。

戸田の指導よろしきを得て、三回分をなんとか作ることができた。原稿の内容はDTPとは何かという自己回帰的なもの。挿図などもそれらしく捏造して加え、最終回の最後のページに「Mac書道」というソフトを使ったお習字を飾りに入れた。

明窓浄机、目の前に紙がある。マウスで筆を選び、墨を擦り、字を書く。運筆を遅くするとその分だけ紙に墨が滲んで広がるあたりなかなかうまくできていた。目を上げると障子、開けば前は日本庭園で鹿威しがコンッと鳴ったりして。手で字を書いて下手な者はマウスで書いても下手であることがよくわかった。

それはともかく、その時に「電脳無限」という文言を書いたのはどういうつもりだったか？

たぶんコンピューターの未来を信じていたのだ。

つまり、こんなことができるのだからコンピューターの性能は「限り無く」伸びてゆくと思っていた。

SE／30では外部とのやりとりは1・44MBのフロッピーディスクだけで、ハードディスクは40MBだった。今ぼくが使っているiMacはインターネットで外界と繋がり、ハードディスクは1TBある。二万五千倍になったのだ。今のぼくはこのサイズのパソコンとインターネット環境がなければ仕事ができない。創造性が増したわけではない。ただ効率よく原稿の量産を強いられるようになったのみ。紙の百科事典を何冊も広げて求める情報を探し、多くの本でクロス・レファレンスをする代わりにウィキペディアでさっさと見つける（早くて助かるが、量産の分だけ原稿

電脳無限

料は安くなった気がする)。

さて、「電脳無限」はともかく、現実の話、コンピューターは無限を受けつけない。かつて使っていたヒューレット・パッカードの板チョコほどの関数電卓が扱える数字にはちゃんと限界があった。

階乗という計算がある。

1×2×3×4……×nという計算の結果がnの階乗。とんでもなく大きな数になるのでnの階乗を表す記号は「n!」である。

階乗でなくて倍々でも大きな数字は得られる。

昔、インドで将棋の原型とされるチャトランガというゲームを発明した男が王に褒美を取らせると言われ、盤の最初のマス目に小麦一粒、次に二粒、次に四粒……と載せて、六十四のマス目の最後まで、を求めた。つまり2の63乗までの小麦粒の総和。総計は世界の小麦生産量の二千五百年分を超えるという(ぼくが自分で計算したわけではない)。

さて、我が関数電卓だが、階乗の計算をさせると69のところで限界に達した。三秒くらい考えて(その間は液晶は真っ白)、x×10の98乗という答えを出す。xは具体的な数字である。

その次はというので70の階乗を求めると、ギブアップする。実際の計算能力ではなく、10のy乗という形での表示のシステムが容量を超えたのかもしれない。

三秒ほど必死で考えている間はかわいかった。

いずれにしてもコンピューターに無限という数値ないし記号を入力することはできない。その先の計算はすべて無意味になってしまう。それはどんなに大きな、いわゆるスパコンでも変わらない。無限とは愚直な唯物論的な計算が意味を失う領域なのだ。

「数というものは、自分の後ろから無限にくっついてくる」

かつて「電脳無限」と書いたぼくは今は無限は恐いと思っている。

前に、乗法はずるいと書いた後で石牟礼道子の「数というものは、自分の後ろから無限にくっついてくる、バケモノではあるまいか。」という言葉を引用したけれど、ぼくの感覚はあれに近い。

とりわけ金融の世界で無限は猛威を振るっているように見える。ここで無限というのは実在するモノの裏付けのない数字のことだ。

兌換紙幣だった頃、通貨の発行には金の準備が必要だったが、不換紙幣になってからは通貨の発行量はただの数字になった。具体物の裏付けを失ったのだ。その分だけ資本はマルクスの言った魔性を増したように思う。我々の頭上ずっと高いところを巨大なコンピューターに駆動されるマモンすなわち富の魔物が飛び交って、自在に急降下しては富をさらい、また急上昇して消える。その分だけリッチはよりリッチになりプアはよりプアになる。二〇一五年、ギリシャを襲ったのはそういう魔物ではなかったか。

二〇一四年、世界各国の国内総生産の合計は約七十七兆ドル。これに対して外国為替取引高は七百兆ドルを超えた。なぜ世界中の生産物を九回も買えるほどのお金が要るのか、素人にはわからない。

キリスト教の神がどうして利子を禁じたか、気になって調べたことがあった。彼らの世界観では世の中のすべての動きは神の管理下に置かれている。神が「生よ、繁殖よ、地に満盈よ」と言われるから動物は子を産み、植物は実る。しかるに利子というのは神のいないところで金が勝手に金を生むことであって、これは神の秩序に反する。ここのところを回避して金貸しという商売を認めるためにさまざまな抜け道が考案された。その先に『ヴェニスの商人』シャイロックの悲劇がある。

現代的に批判すれば、利子は経済成長を前提にしている。どこまでも成長が続くと仮定している。それは数字の上の話であって、現実はそうではない。貧しい人たちでもやがて収入が増えて借金が払えるだろうという前提でサブプライム・ローンが組まれた。サブプライムとは標準的な信用（プライム）以下の顧客ということだ。金融工学とかいっていくら複雑化しても無から有は生じない。やりくりはやりくりであって創造ではない。ここで無限の夢は悪夢に変わる。

数学は具体物に応用されるけれど、しかし数学は具体物ではなく概念操作だ。だから無限を扱うことができる。

自然数について言えば、「＋1」という操作さえあれば数の無限は証明される。どんな大きな数を考えてもそれに「＋1」をすればもう一つ大きな数になる。有理数でも、また無理数まで含めても同じ。

あるいは、ヒルベルトの無限ホテルのパラドックスというのがある。彼は無限に部屋があるホテルならばいくら客が来ても満室になることはないと言った。無限ホテルが満室である（一人も泊まれない）としよう。だが、1の部屋にいる客を2に移し、2の客を3に移し……すべての客を隣室に移せば1の部屋は空く。集合論で無限集合を認めるとこういう直感に反することが起こる。

無限という以上は当然のことのようだが、ホテルの部屋という具体物で考えるところがヒルベルトの功績。部屋から部屋へ荷物を持って移る客たちのイメージがそれこそ無限に続く。エッシャーの絵のようだ。

数学は概念を自在に操作できるところがおもしろいのだろうが、ぼくは地上的・物質的な性格なのでどうしても物理学から離れることができなかった。

具体物である以上、宇宙論にも無限はない。そこはあくまでも唯物論の領域である。

宇宙の果てはどうなっているかという一見して子供っぽい問いは、「果て」というマジック・ワードの中に矛盾を隠している。果てである以上そこで行き止まりになるはずなのだが、「でもその先は」という言葉でそれを崩す。これは「＋1」と同じ観念操作であって物理学ではない。

宇宙の果てはビッグ・バンで出発した光が届く限界、という現代天文学の答えはまこと美しい。それはちょうど、地の果てはという問いに対して探検家たちが、地球は丸いので果てはないという答えを出したのと同じ美しさだ。観念に対する物質の勝利であると思う。

かつて地平は無限だと思われていた。開拓を進めればいくら人の数が増えても問題は生じないと信じられていた。神が全能である以上、神が「生よ、繁殖よ、地に満盈よ」と言われた時、その「地」は無限だったはずだ。神は増殖と成長を保証された。

しかしマジェランの航海で地球が丸いことがわかり、最後の大きな陸地としてオーストラリアが発見され、南極大陸の大きさもわかったところで満たすべき地は有限になった。今や地のサイズは現在の人口を養うにも足りない。

同じように、数十年前、我々は海や大気は無限だと思っていた。だからチッソ株式会社は有機水銀を海に流し、四日市の工場群は煙突から有害物質を大気中に放出した。大気は無限という信仰は今も生き残っているから、フクシマから大気中にあふれ出た放射性物質は薄められて安全とされている。しかし希釈は消滅ではない。大気はヒルベルトのホテルではない。

物理学の基礎になる定数の測定

物理学は無限を認めないがそれへの接近には努力する。この場合、無限とは到達すべき目的地ではなく向かうべき方位だと考えよう。

物理学の基礎になる定数の測定には精一杯の努力が払われる。今ならば——

真空中の光速は九桁の精度で
アボガドロ定数も十桁の精度で
ディラック定数は十桁の精度で
電気素量も十一桁の精度で
ボーア半径は十一桁の精度で
リュードベリ定数は十四桁の精度で
g因子は十五桁の精度で

定義されている。

この最後に挙げた電子スピンのg因子は現代の物理学で最も正確に測定されている値だそうだ。十五桁というのは月までの距離を測って誤差が〇・〇四ミリというくらい。

こういう先端の話の前では素朴もいいところだが、大学の物理学演習の時間に重力の測定をしたことを思い出した。

重力は地域ごとに異なる。

一般に北半球では北に行くほど強くなり（緯度ごとに正規値がある。この差はもっぱら地球の自転で生じる遠心力による）、日本の場合、理科年表によれば最大と最小の間には

根室（ねむろ）　九八〇六八三・四二
石垣島（いしがきじま）　九七九〇〇六・〇六　（単位はmGal）

と、〇・一七パーセントほどの差がある。その他にもさまざまな原因による地域差があるから測定が大事になる。

ちなみに右の両地の正規値は

根室　九八〇・九〇
石垣島　九七八・八三　（単位は Gal）

になるはずだ。

これを自分たちで測定した。場所は埼玉県浦和(うらわ)市（現・さいたま市浦和区）。使うのは一・五メートルほどの振り子である。

金属の分銅を細いワイヤーで吊(つ)る。

ワイヤーの上端は細い逆三角形の断面をしたナイフエッジに結ばれ、ナイフエッジを平滑な金属板で支えることで、摩擦の影響を極小化している。

まず、この軸受けから分銅の重心の位置までの長さを精密に測る。そして、振り子を振って、その動きを少し離れたところから小さな望遠鏡で観測し、十回とか二十回とか振れる時間をストップウォッチで計る。振れ幅はなるべく小さくすること。わずかなワイヤーの動きを観測するために望遠鏡を用いる。

重力の値と振り子の長さと周期の関係は簡単な数式で表せる。三つの値のうちの二つがわかれば三つ目が算出できる。

学生たちは教官の指導のもとに、三人ずつ組んでこの測定を行った。チームごとにいろいろな値が出た。

ぼくが感心したのは、教官がそれらの値を平等に扱ったことだ。この土地の重力の値は公式の観測でわかっているが、それと比べて優劣をつけはしない。ここのところが科学なのだ。観測の値はひとまず一個の独立した数値として有意であるとされる。

時間の測定は難しくない。二十回三十回と振ることで積算して誤差を追い込むことができる。しかし振り子の長さの測定は容易でない。

ここのところを改善したケーターの振り子というものが考案されている。ワイヤーではなく鋼の細い棒を用いる。上端と分銅のすぐ上と二箇所にナイフエッジがある。上端で支えて測り、転倒させて測り、両者の周期の数値が一致するまで棒の中間に設置された微調整用の重りの位置を動かして、重心がこの両点のちょうど中間に来るようにする。この方法の利点は二つのナイフエッジの間の距離は分銅の重心からの距離よりもずっと精密に計測できるというところだ。十九世紀にはこんな方法で誤差を封じ込めようとした。

ナイフエッジは摩擦を最小にして誤差を減らすための工夫だが、まだ空気抵抗が残る。これを除外するには装置ぜんたいを真空中に置けばよい。

今は振り子ではなく、真空槽の中で物体を落として、その速度を測る方式が標準になっている。落とされるのはコーナーキューブという鏡の複合体で、これは入射光と同じ方向に反射光を返す。この落体の動きをレーザー光で捉えて速度を算出する。時間を計るには原子時計を用いる。落下の距離はわずか二十センチ。FG5と呼ばれる世界標準の絶対重力計は小型トラックに載るくらいのサイズで、国土地理院にはこれが三台あるそうだ。

無限大の逆数、ゼロを考える

こうやって物理学者が測定の精度を上げるのは、いわば無限という目的の点に向かって少しでも近づこうという努力である。行き着くことはできないが前に進むことはできる。

物理学では無限ないし無限大そのものは扱わないが、それを仮定することはある。ここではむしろ無限大の逆数であるゼロを考えてみよう。先の振り子による重力測定で「振れ幅はなるべく小さくすること」と書いたが、これが大きくなると数式どおりの単振動にならず、余計な因子が混入するからだ。振れ幅が小さければそれはゼロと見なしてよいとする。

剛体というのも似たような思考法で、力が加わっても変形がゼロであるような物体と定義される。現実には存在しないが力学でものを考える時この仮定はとても役に立つ。その意味では物理学も無限という概念を利用していると言えるだろう。変形が無限に少ないのが剛体なのだから。

黒体はどうだろう。

本当に黒い物体。当たった光（電磁波）をまったく反射せずすべて吸収してしまうもの。現実には存在しないが、例えば球形の空洞体に小さな穴を開けたものを想定すると、この穴から入った光は中で反射を繰り返すうちに吸収され、穴から再び出てくる光はゼロと見なせる。この開口部は黒体と呼んでもいいが、しかし物体ではない。

余談ながら、今の工業製品で最も黒いのは「ベンタブラック」というもので、入射光の九九・九六五パーセントを吸収するという。素材はカーボン・ナノチューブで、林立するチューブの中に入った光は乱反射を繰り返して最終的には熱になる（食虫植物に捕らえられた蠅のようだ）。望遠鏡の鏡筒の内側にこれを貼ると乱反射の悪影響を極小にできる。ここでも「ゼロに」とは言えない。

一九六〇年に『ＰＳＳＣ物理』という高校生用の教科書がアメリカで出た。ＰＳＳＣは「物理学学習委員会」の略。

一九五七年のスプートニク・ショックを機にアメリカでは科学教育を見直そうという機運が高まり、もっぱらマサチューセッツ工科大学の面々が中心になってこの教科書を作った。日本では一九六二年（上巻）と六三年（下巻）に岩波書店から翻訳が出た。翻訳監修は山内恭彦、平田森三、富山小太郎。

ぼくはこの本にずいぶん多くを教えられた。日本の教科書に比べると文章量が多く、図版も多く、実験の写真がたくさん掲載されていた。

その中で感心したのが、ニュートン力学の基礎である物体と力と運動の関係を明らかにする章で、実験の素材としてドライアイスを用いたところ。

ここでも目指すのは理想化された実験であって、そのために摩擦がゼロという環境を作りたい。地表ではすべての物体に重力が働き、水平の動きはそれを支える表面との摩擦の影響を受ける。

そこでこの教科書では、平滑なアルミの板の上にクッキーほどのサイズの円いドライアイスを置いて、その運動をストロボ写真で記録するという方法を採った。室温ではドライアイスは蒸発する。だからこのクッキーはアルミ板の上で薄い炭酸ガスの層の上に浮くことになり、このガスのベアリングのおかげで横方向の動きに対する摩擦はゼロと見なせる。氷上を滑るアイスホッケーのパックよりも軽く動く。「もし十分に長い水平板の上で、円盤に時速約20㎞という速さを与えたとすると、およそ5㎞も先まですべっていくことになる」と説明にある。

実際にはさほど精度のある実験ではない。大事なのはこれに参加する生徒たちに感ードもまた完全球体と完全平面という仮説の上に成り立つゲームである。の大きなバットの中でビリヤードごっこをしてみれば摩擦ゼロを体感できる。ビリヤ覚的にアピールする点だ。アイスクリーム屋で貰えるドライアイスを用いて、料理用

アルキメデスの「砂粒を数える者」

無限とか無限大と言ってしまうとそこで思考が停止する。もう少しだけ現実に近いところで、世の中にはどこまで大きな数があるのか探ってみた。

アルキメデスは「砂粒を数える者」という問題を提起した。宇宙全体を満たすにはいくつの砂粒が要るか、それを推計する。

まず、宇宙は有限と仮定する。地球と太陽の距離を半径とする球をもって宇宙とし、これを宇宙球と呼ぶ。ケシ粒の方も直径ほぼ〇・五ミリと、微小ではあってもきちんと大きさがある。この宇宙とケシ粒、そして砂の間を数字で繋ぐ。当時はまだ$x\times10$のy乗という簡便な表記はなかったから、彼はまず記数法を考案した。

それによって彼が算出した宇宙を満たす砂粒の数は今の表記によれば10の51乗よりは小さいというものだった（一個のケシ粒の体積は一万個の砂粒に相当）。

興味深いのは、いくつかの誤謬を経ながらも彼が考えた宇宙球のサイズがほぼ今の我々が知っていることとさほど違わないというところだ。彼が言うのは直径百億スタ

ディア以下、つまり1・8×10の12乗メートル。実際の太陽と地球の平均距離すなわち一天文単位は1・5×10の11乗メートル。直径だからその倍。仮定に仮定を重ねた結果としてはこれは相当によい数字だ。

漢語における数の呼称は四桁ごとに——

一、万、億、兆、京、垓、秭、穣、溝、澗、正、載、極、恒河沙、阿僧祇、那由多、不可思議、無量大数

となっている。ここで終わり。無量大数は10の68乗。

恒河沙とはつまりガンジス川の砂の数だから、このあたりから先はインド哲学に由来するらしい。その本家のインドに行くと、なにしろ彼らは抽象思考が好きな人たちだから数の呼称もずっと先まで用意してある。いちばん大きな「不可説不可説転」という数は、まず2の122乗を用意して（これをAとしよう）、これに7を掛けた数を導いた上で、10の7A乗を考える。とんでもない数になる。

しかし今の数学者が言うスキューズ数などはこれよりも大きい。

那由多という言葉の響きに誘われて書いた詩がある。振り返れば東日本大震災の直前だった。

那由多の海

（ナユタです）
（えっ？）
（ナユタ、とてもとても大きな数です）

桜が咲いている。
地面の下の広い空洞。
そこを花と枝と幹で埋めて、
たくさんの桜が咲いている。
花びらが放つ光が充ち満ちて、
おお　眩しいほどの桜色！
一羽のツバメが花をかすめて飛ぶ。

この空洞を地下深く隠した大地は
実は一隻の船に積まれている。
今しも船は那由多の海を
真東に向かって航行し、

その海はまた
一滴の水の中にあって、
その一滴は本当は星。
百億の星から成る星雲の中の一つの星、
としての
その水滴を想像せよ、と神は言われる。
だがそう言う間にも
桜は散り始める。
花びらが空洞に舞い、
見ているうちに空洞は、大地は、船は、
那由多の海も、
水滴も、星雲も、

薄れ、薄れ、薄れ……

消えてしまう。

ずっと無限について書いてきたが、今回はもう一つ永遠というテーマも用意してあった。

無限に似ているが、これはいわば未来に向かって外挿された無限であって、たぶん神学でしか扱えない。

我々は時間の汽車の座席に後ろ向きに坐(すわ)っている。運転士に見える光景は乗客には見えない。車窓から見えるのは通り過ぎたところだけ。

それにビッグ・バン理論の成立以来、過去に向かっても無限は否定された。この宇宙には百三十八億年前という始点が設定され、それより前はないことになった。我々にできるのは、この世の無常を承知の上で、よく考えて選んだ相手に永遠の愛を誓うことくらいだ。

進化と絶滅と愛惜

ずいぶん前のことだが、顕微鏡に熱中したことがあった。

ニコンの「ファーブル」という機種で、双眼だから立体像を見ることができる。倍率は二十倍と低く、その分だけ簡便で価格も安い。載物台は手前の側にあって、向こう側に焦点合わせのノブがある。上からの照明の仕掛けもついている。

これがおもしろいのだ。

十円玉の表には宇治平等院鳳凰堂(うじびょうどういんほうおうどう)の図がある。観音開きの扉がぜんぶで六枚。ではこの扉にある鋲(びょう)の数は、と聞かれて肉眼で数えられる人は少ないだろう。そこでこの顕微鏡を使うと、まるで十円玉を直径五メートルに拡大し、その上に立って見るように見えて、この立体感が凡百のルーペと異なる(鋲の数は五十四本)。

しかし人造のものは拡大しても単調でのっぺりしておもしろくない。興奮を誘うのは自然界にあるもの。道になにか鳥の羽根が落ちていたとする。こういうものを見ると、羽軸から羽根が伸び、そこから羽毛が生えている様子がくっきりとわかる。羽毛どうしが互いに絡んで支え合っているところが見える。最軽量で最強の素材と構造。ドイツの建築家、ミース・ファン・デル・ローエの言うとおり、まこと神は細部に宿りたまう。

あるいは蝶の羽根。鱗粉がまさに鱗のように整然と並んでいるさまが見てとれる。花のめしべと花粉もいいし、トンボの羽根一枚がいつまで見ていても飽きない。海岸の砂の中から放散虫の骨格を見つけてしばらく見惚れる。

もっと前、学生の頃、何かのアルバイトで入ったお金でオリンパスの最も安い学生用の顕微鏡を買ったことがあった。これは単眼で、しかし下からの光を赤と緑の同心円フィルターで分けて陰影をつけて見ることができた。いろいろなものを見たが、いちばんはっきり覚えているのは（ああ、ここに書くのも恥ずかしいことながら）、自分の精子だ。彼らは実に元気に泳ぎ回っていた。ちょうど埼玉大学の教室で須甲鉄也教授の「性と生殖」の講義を受けていた時期だったと思う。

なぜ生物は合目的的にそこにあるのか？

『北海道主要樹木図譜』（北海道大学出版会）という本がある。

大正二（一九一三）年に北海道庁はこの図鑑を作る事業を開始した。北海道に生えているおもだった樹木について精密な手描きの絵と周到な文章による記述を合わせて一巻にまとめる。植物学であるけれど、実業としての林学でもある。指導したのは宮部金吾、八十五種類の木を実際に研究したのは工藤祐舜。画工は須崎忠助。

木の全体図ではなく、ひたすら細部を描く。例えば「はるにれ」について描かれるのは、1 花のついた小枝、2～3 花、4 がくの縦断面……11 葉のついた小枝、12 冬芽のある小枝、という具合に細かい。

そして、美しい。須崎の絵がほんとうに美しい。精密で、実際の植物の色そのまま、花弁にさわった感じまで伝わる。一枚の図の中の各部分の配置も絶妙。

この計画が始まった時、五十三歳の宮部はもう大家だった。札幌農学校で新渡戸稲造や内村鑑三と同期で、大正の初期には日本の植物学全体を率いる立場にいた。工藤はこの時二十六歳。若くて野心にあふれた学者だった。須崎は四十七歳で、技術的には老成の域に達していた。そして、この一冊の図鑑が完成するまでには十八年の歳月を要した。

一本の木の四季それぞれの細部を実物を前にして描く。できた絵を見て工藤は色が微妙に違うと言って突き返す。須崎は描き直す。工藤の文章による記述も綿密にして周到。

昭和六（一九三一）年にこの図鑑が完成した翌年、工藤は転任先の台湾で亡くなった。享年四十五。更にその次の年、須崎も他界した。六十七歳。

二人とも、男子一生の仕事を終えて土に還ったかのよう（『北海道主要樹木図譜』は今も普及版が入手可能で、これには樹影図が添えてある）。

宮澤賢治に「土神ときつね」（『池澤夏樹＝個人編集　日本文学全集16』〈河出書房新社〉）という話があって、その中で土神は憧れている樺の木とこういう会話をする

──

「たとへばだね、草といふものは黒い土から出るのだがなぜから青いもんだらう。黄や白の花さへ咲くんだ。どうもわからんねえ。」

「それは草の種子が青や白をもってゐるためではないでございませうか。」

「さうだ。まあさう云へばさうだがそれでもやっぱりわからんな。たとへば秋のきのこのやうなものは種子もなし全く土の中からばかり出て行くもんだ、それにもやっぱり赤や黄いろやいろいろある、わからんねえ。」

ぼくはこの土神の疑問を共有する。

なぜ生物はかくも合目的的にそこにあるのか？

ここでうっかり「合目的的に作られているのか」と書きかけて手を押さえる。それは作り手を想定した上での表現であって、問題はそこにこそあるのだから。

今、進化生物学はもっぱら議論の学である。あるいは論争の学と言ってもいい。フ

ィールドで得られた知見がセントラル・ドグマを大きく変えることはない。データは揃っているのであって、問題はその解釈なのだ。

これが約二百年前ならばチャールズ・ダーウィンと一緒にビーグル号に乗って世界を一周し、その途中で観察したものを土台に進化論を構築することができた。

例えば、有名な話だが、彼はガラパゴス諸島で島ごとに異なるフィンチ（スズメ目フウキンチョウ科の鳥）を見つけた。十三種類いて四つのグループに分けられる。島によって食べるものが違い、それぞれを得るのにふさわしい形の嘴（くちばし）をしている。実は彼はビーグル号の航海でこの島々に寄った時にはそれに気づきながらもきちんと調べることを怠り、イギリスに帰ってから他の人に標本を調べてもらってこの事実の重要性を認識した（内井惣七『ダーウィンの思想』〈岩波新書〉）。

ガラパゴス諸島は陸地から遠い大洋島であるから、たまたまここに渡ったフィンチの個体は多くはなかったはずだ。それが分化しながら島々に広がり、そこで得やすい餌に応じて嘴の形を変えていった。

彼は『ビーグル号航海記』（岩波文庫）の中で、「もしただ一種の祖先が渡来しこれだけの多様性を持つに至ったとすれば、種の不変性は揺らぐかもしれない」と書いている。種は不変ではないかもしれない。変わるのかもしれない。しかし、いかにして？

話を生物の精妙に戻そう。

人造物は拡大すれば単調である。機械式の懐中時計はまこと巧妙に作られている。短針と長針で時刻を表示するだけでなく、長年に亘って使えるカレンダーを備えたり、月の満ち欠けを表示したり、鳴鐘式だったり、その機能は驚くべきものだ。しかし、歯車の一つを取り出してみれば、その中にはもう内部構造はない。形は凝っているがただの均質な金属の一片。

鉱物もそうだ。花崗岩は石英と長石、雲母などから成るから微細な模様を示すけれど、その中に入れば同じ素材でしかない。偏光顕微鏡で見れば美しいモザイクが見える。

ちなみに、地表近くで急速に冷えて生まれる火山岩と地下深いところでゆっくり冷えて作られる深成岩の違いを覚えるのに便利な語呂合わせがある。火山岩の方は白っぽいものから「流産・安産・元気な子」で、それぞれが「流紋岩・安山岩・玄武岩」に対応し、深成岩は「囲んで・先生・半殺し」すなわち「花崗岩・閃緑岩・斑糲岩」だそうだ。

しかし、鉱物は単調な結晶の集まりであってそれ以上の内部はない。

生物を作っているのは炭素の格子構造。

鉱物を作っているのは珪素の格子構造。炭素は原子番号6、珪素は原子番号14、周期表では上下に並んでいる同族元素。従って性質も似ており、最外殻にある価電子の数が四つなので格子構造を作りやすい。いわば社交的なのだ。あるいはマスゲームが好きとか。

しかし似ているのはそこまで。珪素を骨格とする生物はSFの世界以外にはいない(水という特異な物質と炭素化合物の親近性が大事なのだ)。

生物はどこまで拡大していっても構造がある。我々の骨は一見したところ白いブロックだ。形はあっても材質は均質に見える。しかし実際には最小限の材料で力学的に最も強くなるような内部構造がある。磁器とは違うのだ。

それに、生殖ということがある。車庫に車を二台入れておいたらオートバイが生まれたという話は聞いたことがない。更に、再生。ぶつけた車は壊れたままだが、折れた骨は副木を当てておけばやがて治癒する。

これが生きているということだ。

そもそも、これを書いているぼくになんでこんなことを考える能力があるのか？ もっぱら珪素（シリコン）でできたコンピューターに考えるに似たことをさせることはできる。しかしそのコンピューターを作るのは我々、つまり炭素を主材とする生物である。その逆ではない。

誰かがこういう風に作ったから、というのがまっさきに人が考えること。

しかしこれはその「誰か」に問題を丸投げすることでしかない。その誰かの実態を規定しないことにはことの核心には至れない。

キリスト教の世界観をおさらいしよう。

神は世界を創造し、すべての動物と植物を創り、そこに下等から高等へと一種の位階を設定して、その頂点に人間を据えた。人間は神の姿に似せた被造物として別格、この世界を利用・管理して自分たちを幸福にする権利・義務がある。動物や植物は多種多様にあるけれど、それは神が最初にそれらすべてを用意したのであって、その後は種の数や性格に変化はない。もっと原理主義的に言えば、ノアの方舟に乗った種だけが現存の種であるということになる（方舟を一種の隠喩と読むならばそこまで極端なことにはならないが）。

その結果、天地創造は今から六千年前だったとか、恐龍の化石はノアの洪水で死んだ動物のものだなどという説が生まれた。

それに対してダーウィンは例えばガラパゴスのフィンチを観察して今現在も種が変化していることを見抜き、これを進化と名付けた。進化がずっと続いてきたのなら、それがフィンチに見るように分化であるならば、時間を逆に辿れば種の数は減っていって我々みなの共通の祖先に行き着くだろう。彼はヒトの祖先が猿だと言ったわけではない。ヒトと猿は祖先を共有すると言ったのだ。

進化論にまとわりつく偏見

進化論ないし、進化説ないし、進化生物学を論じ始めるとすぐにいくつもの偏見が絡みついてくる。

理由は簡単、我々がヒトであると同時に人間であり、自分が関わることになるとその自分を客観化することが難しいからだ。馬がいくら賢いといっても哲学を生み出すことはできないだろう、という考えの先には、まして粘菌と自分たちの間に共通するものなどあるはずがないという思い込みが生まれる。

しかしヒトと粘菌は共に生物である。それぞれに鉱物界からは遠くかけ離れた特異な存在である。垂水雄二(たるみゆうじ)によれば——

生物の魅力の一つは驚くべき多様性であるが、同時に、その多様性を貫く普遍的な原理が存在するというのがもう一つの魅力である。どんなに姿形が異なろうとも、すべての生物は細胞から成り、すべての生物はＤＮＡという遺伝情報をもっている。

（垂水雄二『進化論の何が問題か』〈八坂書房〉）

生命に関わる元素の数はそんなに多くはない。人体を構成するのは十一種の主要元素、その他に健康を維持するためには十五種の微量元素が要ると言われるが、つまりそれだけで足りるのだ。すべての生物で考えてもせいぜい四十種類。

これで無生物とは決定的に異なる存在が誕生し、生存し、生殖し、進化してきた。元素という単純きわまるものからかくも複雑で自律的なものが生み出される。普通ならばそこに更に上位の意思の介入を想定したくなる。その安直な誘惑に背を向けるのが科学である。

ヒトとイヌは違う。そんなことは自明。大事なのは違いの部分ではなく共有されるものの方だ。我々は自分と他を比べる時にいわば差を取って考える。自分の給与はこれだけなのに同僚は三パーセントだけ多いという点にのみ注目する。それは高等生物が個体という形を取っている以上しかたがないことかもしれない。共同体をいくら強調しても、その共同体もまた個体であり、家族やクラン（氏族）や民族や国家でまとまって他との差異を言いつのる。自分（たち）の優位にばかり目がいく。

それは生命の原理が我々に強要することなのか。取りあえずは己（おの）が身を生かしめるべく努力せよ。そのためには同輩との争いも許す。まずは身を守り、その後に子孫を残せ。子孫とは自分の遺伝形質を持った次世代だから、必ずしも自分の子でなくてもいい。ミツバチのように母一人、姉妹数万で次世代を育てる方が有利という計算も成り立つ。

粘菌の場合は個体性はずっと薄くなる。だからといってそちらを下等、我々を高等と呼ぶことに意味はあるか。迷路で最短距離を見つけるという課題において粘菌は我々と同じくらい賢いらしい。北海道で最も合理的な道路網を設計するのに彼らの手を借りることができる。バットの中に彼らが動き得る北海道の地図を作り、都市を栄養物質で表現し、山など道路に不適切な地形は彼らが忌避する物質に置き換えて、成長を促すと、最終的には実在の北海道道路地図と同じ図ができる。幹線は太く支線は細く、需要に応じた規模になっている。

こういう例によってぼくはホモ・サピエンスの優位という神話を壊したいと思っている。

ここでまた、自分たちも種の一つであるがゆえに偏見から逃れられないという問題に立ち返る。進化は進歩ではないと識者が何度となく警告しても一般の人々は「進化したケータイ」という広告を信じる。進化は常に環境とセットであって、突然変異の結果が環境の中で有利ならばその種は栄え、そうでなければ滅びる。まあ、ケータイもガラパゴス化して滅びたりするから、市場という環境を遠くから見るならばそこで起こっている現象の全体は進化なのかもしれないが。

最近はさすがにあまり見かけなくなったけれど、昔はヒトの進化の図をよく見かけた。左の端に背を丸めた猿がおり、右の端にすっくと背を伸ばした人間がいる。見るからに白人の男性らしい。その途中をいくつもの段階で繋ぐ。最新の例では右端の人間は机に向かってコンピューターをいじっていたりする。

ホモ・サピエンスに至る「進化」はそんな一直線の向上ではなかった。今の我々すなわちヒトの学名は*Homo sapiens sapiens*だが、ヒト亜族がチンパンジー亜族と分かれた後でも、少なくとも十二種のヒト属が生まれて、たった一つ（つまりあなたとぼく）を除いて消滅した。左から右へ一直線の進歩的な進化ではなかった。一本の木を下から上へ登るような分岐と末端、つまり絶滅。まだなんとかしばらくは未来があるのが我々、とはたして言い切れるか。

これが「進化」ということである。

進化の背後に隠れた大量の絶滅

だから絶滅のことを正面から考えなければならない。

これについては二〇一四年に出た吉川浩満の『理不尽な進化』（朝日出版社）という本が必読。ぼくはこの本によって文字通り蒙を啓かれた。まるで新しい生物の姿を教えられた。

種は絶滅する。これが基本だ。人間は進歩や改良としての進化ばかり言うが、その背後には大量の絶滅が隠れている。そこまで含んでの進化なのだ。実際、生命の誕生以来これまでに地上に現れた生物の九九・九パーセントが絶滅している。いわばこれは死屍(しし)累々の惨状であり、種というのは絶滅してあたりまえのものと認識せざるを得ない。

ダーウィンに従えばここで参照すべきは自然選択という原理だろう。世間に向かってはこれが「適者」であって「強者」ではないことを改めて言っておこう。弱肉強食ではない。肉食獣は草食獣に生命を負っており、草食獣は植物に生命を負っている。鼠の嫁入りの話を思い出せば、強いのは太陽でも雲でも風でも壁でもなく、鼠。あの理屈／屁理屈(へりくつ)に似ていて、これが本当のところ。

なぜ種はほぼ必然的に絶滅するか？（念のために例外も挙げておけば、シーラカンスやカブトガニは何億年も生きてきた）

生物学の現場の研究者ではなく多くの書物を精読する思索者・思想家として吉川は事態をこう要約する――

三つのシナリオがある。

1　まったくの不運。戦場で弾幕に曝(さら)されるような乱数的な死滅。巨大隕石(いんせき)が地球に衝突した直後の巨大津波などがこれに当たる。

２　公正なゲーム。その時の環境において競争力が劣るものが消えてゆく。我々の進化論イメージはだいたいこれだ。

３　理不尽な絶滅。実態は１と２の組み合わせである。巨大隕石の衝突によって環境は激変する。大量の微細な塵によって太陽光が遮られ、植物が死滅する。それを食べていた草食動物がいなくなる。肉食のティラノサウルスも消える。海には硫酸の雨が降ってほとんどのプランクトンを殺す。しかしもともとライフ・サイクルの中に休眠という過程を備えていた珪藻類は生き延びることができた。そこから生物界は再生した。

吉川はこれをスポーツに喩える。バスケットボールがいきなり小学校の運動会の障害物競走に変わる。大きな図体の選手はハシゴを抜けられない。つまりそれくらい「理不尽な」ルール変更が多くの絶滅の理由だったというのだ。

吉川は、人間は滅びた者に対して厳しいと言う。自業自得を言い立てる。そのもとには「世界は公正である」というバイアスがある。「努力した者は報われ努力しない者は報われない」と信じる方が生きやすい。だから我々は敗者を貶める。

しかし現実は努力と運の組み合わせでできているのだ。運転者の目に入る位置に設置された広告看板の半裸の美女に目を奪われて路肩に乗り上げた。それで済めば笑い話。しかしその路肩に登校中の小学生がいたら結果は惨劇。

主知主義から言うならば絶滅にも理由が欲しい。自分が滅びるとしたらその原因を教えて欲しい。それが正義というものではないか。しかし生物ぜんたいを支配しているルールはもっと冷酷無情ないし機械的であって、ただの運不運によってことは決まってゆく。ヨブと神の会話はない。

これは我々が知っているのに見ないようにしてきた日々の現実そのままではないか。有能なのに出世できなかったのは運が悪かったからだという弱者の弁解が実は最も実態に合っている。株の相場も民族の消長も似たようなもの。自己責任なんて弱者バッシングでしかない、と言いそうになるほどに進化生物学は人間くさい。科学の場に運不運が出てくるとは、と嘆くのはいい。量子論を前にしてアインシュタインは「神はサイコロを振らない」と言ったが、進化の歴史は賭場(とば)の一夜のようなもので、サイコロが振られるたびに種は分化しまた絶滅してきた。勝ち抜ける者はほとんどいない。だとすれば知的にこの世界をデザインした神の存在感は薄れざるを得ない。「神も仏もありませぬ」(佐野洋子(さのようこ))という世界観に我々は慣れなければならない。

過去に五回あったという大量絶滅の後では生態系はがら空きになる。そこでまた彷徨(ほうこう)的に、つまり全体を統(す)べるグランド・デザインなどないままに、新しいフローラ

（植物相）とファウナ（動物相）が生じる。進化がまこと気まぐれであることは、バージェス動物群のアノマロカリスやハルキゲニアの姿を見れば一目瞭然だろう。まあ彼らにすればヒトこそが奇妙奇天烈、なんで陸上に出ていってしかも直立などしたのかと問うかもしれない。

進化は法則であると同時に歴史である

ここ何十年か、進化を考えるのに必須の名前が二つある。スティーヴン・ジェイ・グールドとリチャード・ドーキンス。二人は苛烈な論争を繰り広げながら、それによってキリスト教系の非科学的な進化論批判を向こうに回して共闘してきた。生物の精妙はそれをデザインした超越者を想定しないかぎり説明できないように思われる。そうでない形でことをロジカルに説明しようというのが科学の立場である。

二人の論争は最終的にはドーキンス派の勝利に終わった。それはつまり彼の方がより科学的だったということだが、それはまた彼の方がより冷徹だったということでもある。だから彼はキリスト教をはじめとする宗教一般を徹底的に排除する。

ぼくなりに吉川の言うところをまとめると、進化は法則であると同時に歴史である、ということだろう。つまり無数の偶然を含む一回性のもの。だから進化は理不尽なのだ。グールドはこの視点をどうしても無視できなかった。絶滅した九九・九パーセントの種への同情を捨てきれなかった、というのはロマンティックすぎるかもしれないとしても。

グールドが二〇〇二年に六十歳で亡くなったのも同じ原理の応用問題ではないのか。彼が死によって論争の戦線から離脱したわけではない。その時には結論はほぼ出ていた。だが彼の病死は巨視的に見るならばまったくの偶然であり（ジャック・モノーの名著『偶然と必然』〈みすず書房〉を思い出そう）、たまたま六十歳で亡くなるということが生命現象にまつわる理不尽の一つの例なのだ。

個体は必ず死ぬ。屋久島（やくしま）の杉やメタセコイアがいかに長寿であろうといずれは死が訪れる。それと種の絶滅を混同してはいけない。前述のとおりシーラカンスやカブトガニという種は何億年も生きてきたが、それでも大半の種は消えてゆく。歴史はすべて一回的だから一度消えてしまえばそれっきりだ。科学とは普遍が原則である。実験結果の認知には他者による再現実験が必須だが（常温核融合もSTAP細胞こと刺激惹起（じゃっき）性多能性獲得細胞もこの条件をクリアできなかった。改めて考えれば、どちらも人間の我欲がまるまる前面に出た命名ではないか）、進化は歴史だから再現実験ができない。光学に言うホイヘンスの原理と同じで、履歴と慣性を消して今立っている地点から地形と状況に従って進むしかない。停滞も逆行も許されない。ツキという概念を欠いた賭場で一回ずつ強制的にサイコロを振らされる。

今はヒトという種がたまたま知力による制覇を実現している。生存は環境に大きく依存するが、ヒトはその環境を自分で整備するというずるい戦略で地上に君臨している。その結果、毎週といっていいほどのペースで多くの種を絶滅に追い込んでいる。リョコウバトもニホンオオカミももうこの世界にはいない。

彼らへの愛惜の念が科学のアリーナに一滴二滴と涙を落とす。生命の基本は自分という個体の生存・温存だから他の個体や種を抹殺しても生き延びるべきなのだが、そこにはいずれはおまえの番が来るという不穏な予想がついてまわる。あなたがいずれ死ぬのと同じように、ホモ・サピエンス・サピエンスはいずれ絶滅する。その後にまた別の知的生物が続くのか、あるいはゴキブリと粘菌の天下になるのか、それはわからない。我々にはそれを知る資格がない。

進化には原理と歴史の二面がある。歴史の側にはどうしても憐憫がついてまわる。その一つの例をここに自分の昔の著書から引いておこう。文化というずるい戦略に頼ったために超加速進化を遂げた自分たちの場合は恐龍よりもずっと寿命が短いだろう、と嘆きながら――

　時間の回廊の彼方で龍たちが舞っている。一億五千万年の歳月をかけて自分たちの遺伝システムに最初に与えられた可能性のすべてを身体の形の上に表現し、そのゲームをやりおえ、気候の変化によってゆるやかにか、隕石の落下によって派手に騒々しくかはわからないが、いずれにしてもひとしきり遊び終えたという満足感と共に退場してゆく。速すぎる進化を無理に辿らされているわれわれにはとてもできることではない。

（『楽しい終末』〈中公文庫〉の「恐龍たちの黄昏」の章）

原子力、あるいは事象の一回性

二〇一九年三月で東日本大震災から八年が過ぎた。地震ならびに津波の被害とフクシマの被害はまったくその性格が異なる。原子力あるいは核エネルギーについて改めてここで考えてみたい。自分の人生とこのテクノロジーの歩みを追って。

一九四五年七月十六日、ぼくが生まれて十日目に世界で初めての原爆の実験が行われた。それから一か月もたたないうちに広島と長崎で実戦に使用された。高熱と爆風と放射線。数日のうちに約二十万人が死亡し、それからの五年間まで含めると総計三十四万に及ぶ人々が亡くなった。

ここで犠牲という言葉を使っていいものかとためらう。牛扁でわかるとおり、犠牲というのは何かの目的のために神の祭壇で殺される動物のことである。無辜の人々の難死にそんな意味を与えることが許されるか。ユダヤ教の燔祭（ホロコースト）という言葉をジェノサイドの意味で使うのもどこか違う気がする。正しき神がそんなものを受けつけるはずがない。

一九五三年十二月八日、ぼくが八歳の時、就任したばかりのアメリカ大統領ドワイト・D・アイゼンハワーは国連総会で「平和のための原子力」という演説を行い、核エネルギーは戦争のためだけでなく平和目的にも利用できると主張した。原爆の開発に手を貸した科学者たちはこれで少し良心の呵責を緩めることができると思った。しかし本当にそうだったのだろうか。

翌年の三月、ビキニ環礁での水爆の実験で第五福竜丸の船員が被曝し、その半年後に久保山愛吉さんが亡くなった。

一九七九年三月二十八日午前四時、ぼくが三十三歳の時、アメリカのペンシルベニア州スリーマイル島の原子力発電所二号炉の制御室で警報音が鳴り響き、百を超える警告灯が点灯した。冷却系の故障が次々に波及して、運転員は何が起こっているか把握できなくなった。原因はパイロット操作逃がし弁（PORV）が閉じなくなる「開固着」だったが、多くの事象がたてつづけに起こる混乱の中でこれは見逃された。炉の中の冷却水が失われ（LOCAと呼ばれるタイプの事故）、燃料集合体の半分以上が露出してメルトダウンが始まった。

核燃料のペレットはジルコニウムで被覆されている。冷却水喪失で高温になったジルコニウムは、水蒸気と直に接触すると二酸化ジルコニウムに変わり、水素が発生する。水素は空気中の酸素と混じって容易に爆発する。格納容器が破壊され、大気中に放射性物質が撒き散らされるかもしれない。

この時は半径二十四キロ圏内の二十万人が避難した。

最終的に水素爆発は起こらず、事態はやがて沈静化した。この二号炉は廃炉になり、無傷だった隣の一号炉も世論の反対で数年先まで再稼働されなかった。

オッペンハイマーは「われは死なり」と呟いた

一九八二年、三十七歳の時にぼくは『ヒロシマを壊滅させた男　オッペンハイマー』（白水社）という、イギリスBBCのジャーナリストが書いた本の翻訳を出した。

話は一九四五年、ぼくの誕生の時に戻る。

原子爆弾開発の主役だったオッペンハイマーはインテリだったから、ニューメキシコ州に作られた実験場にジョン・ダンの詩を引用して「トリニティー（三位一体）」という名をつけた。

実験の前、マンハッタン計画に参加した科学者たちは自分らが開発した原子爆弾の威力について懐疑的だった。威力についてさまざまな数字が飛び交った。最も楽観的なのはエドワード・テラーが出したTNT火薬に換算して四万五千トンというもの。

ハンス・ベーテは八千トン、公式の予測は五千トン、オッペンハイマーは指揮する立場なのに悲観的に三百トン。ゼロと言う者もいた。

その頃、原爆開発の拠点だったロスアラモスで広まった戯れ歌——

ボロ実験室がオシャカを生むと
首に落ちるはトルーマンの斧
見よ、立って戦う学者の勇姿
聞け、世界に轟く不発弾

七月十六日、二十億ドルを費やした爆弾はちゃんと爆発した。多くの予想を上回って威力はTNT火薬にして二万トン相当だった（核兵器に関していつも使われるこのTNT換算は比喩として重大な欠陥がある。放射線のことも後遺症のこともこの数字からは見えないのだ）。

オッペンハイマーは、ここでインドの古典『バガヴァッド・ギーター』の一節を思い出して「われは死なり。世界の破壊者なり」と呟いた、と後に語っている。戦いを前にしてためらう王子を神クリシュナが激励する言葉だ。オッペンハイマーにはためらいがあったのだろう。

なぜ、原爆は完成してしまったのか？

もともと科学者たちは半信半疑だった。理論は理論、できるかぎりのことはやった。核分裂連鎖反応が起こることは間違いない。それは一九四二年の暮れにシカゴ大学に作られた実験炉で実証されている。ウランを埋め込んだ黒鉛のブロックを積み上げたもので、カドミウムの制御棒を抜くとそれは臨界に達した。

ロスアラモスの課題はもっぱら工学的なものだった。原爆には二つのタイプがある。ウラン２３５を用いる砲弾型とプルトニウムを用いる爆縮型。後者では球状のプルトニウムの塊の周りに配置された数十個の雷管を誤差数百万分の一秒というタイミングで同時に着火させなければならない。この過程で臨界を実現するのだが、これがばらつくとプルトニウムの多くは連鎖反応に参加しないまま飛散してしまう。

だが、爆縮型によるロスアラモスの実験はＴＮＴ換算二万トンという大きな結果を出した。

既にナチス・ドイツは降伏し、原爆開発の本来の意義は失われていた。満身創痍で最後の抵抗をしている大日本帝国の都市の住民の上にこれを落としていいものか（ナチス降伏の時点でもう核兵器は不要なはずと言ってマンハッタン計画から身を引いた科学者が一人だけいた。ジョセフ・ロートブラット。後に彼はノーベル平和賞を受けている）。しかしことを決めるのは軍人と政治家であり、科学者ではなかった。所詮、彼らは雇われた身でしかなく、決定権はなかった。

これを実用に供した結果はどんなものだったか。証言は無数にあるが、例としてこうの史代（ふみよ）の『この世界の片隅に』を見よう。呉（くれ）で暮らす若い人妻すずのほぼ二年に亘（わた）る生活の先にヒロシマがある。この生活を、こういう市民たちを、彼らの生活の破壊を、オッペンハイマーは想像しなかっただろう。アメリカの同じサイズの町に原子爆弾が落とされた時の光景を想像しなかっただろう。いや、彼はごく抽象的に想像して、その思いを「われは死なり」というクリシュナの言葉に托（たく）したのか。この兵器を実際に市民に向けて用いるという事態に対して自分を鼓舞したのか。放射能の危険性は彼らも知っていたはずだ。マリー・キュリーは一九三四年に白血病で死んでいるのだから。

人間の手に負えない放射性物質

一九八六年四月二十六日午前一時、ぼくが四十歳の時、ソビエト連邦ウクライナのチェルノブイリ原子力発電所で水蒸気爆発に続いて黒鉛の火災が発生し、建屋が破損して、大量の放射性物質が大気中に放出された。この事故は七百万人の人々の生活に影響を与えたとされる。

ここの原子炉はＲＢＭＫ（黒鉛減速沸騰軽水圧力管型原子炉）と呼ばれるものだっ

た。運転中も燃料の交換ができるという利点はあったが、その一方、動作が不安定という大きな欠陥もあった。制御棒を入れると逆に出力が増すことがある。深夜、未熟な運転員たちが始めた安全性の確認実験が暴走した。炉の上と下で別々に連鎖反応が起こり、動作はいよいよ不安定になった。炉の中で何が起こっているのか運転員は把握できなかった。

一九九〇年七月十九日、四十五歳のぼくは東海村の日本原子力発電東海発電所を見学に行った。そこで貰った『東海発電所／東海第二発電所のあらまし』というパンフレットの「安全への配慮」という項目には「放射線の封じ込め」と題して五つの壁が放射性物質の周囲にあることを強調している。そして箇条書きにして五項目からなる百六十字ほどの短い文章の中で、危険性は「固い」、「丈夫な」、「密封」、「がんじょうな」、「気密性の高い」、「厚い」、「しゃへい」、という言葉の羅列で封じ込められていた。科学者ではなく二流のコピーライターの文体。しかし、自ら発熱する核燃料は冷却がなければいかなる遮蔽をも破って外に出てくるのだ。

王水（濃塩酸と濃硝酸の体積比三対一の混合液）は金や白金をも融かす。その延長上であらゆる物質を融かす薬液というSF的なジョークがある。なぜジョークかと言えば、作れたとしても入れる器がないから。冷却を失った核燃料はこれに似ている。

二〇一一年三月十一日、ぼくが六十五歳の時、東日本大震災が起こり、東京電力福島第一原子力発電所が崩壊した。

ぼくは人間は原子力発電から速やかに手を引くべきだと考えて、そういう意見を表明してきた。その根拠を単純化して述べれば、放射性物質の扱いは人間の手に負えないということだ。

他の毒物は、どんなものでも、化学的・生物学的に生体に作用するから、化学的方法で無化できる。重金属などは別としてたいていのものは焼却できる（水銀などの重金属は密閉して保管するかぎり無害）。しかし放射性物質の半減期は何をどうしようが縮められない。除染とかいっても場所を移すだけで消滅させるわけではない。

化学反応と核反応、つまり原子同士の反応と素粒子間の反応はまるで違う。アインシュタインの、

$$E=mc^2$$

という等号が教えるとおり、核反応では少しの物質から大きなエネルギーが得られる。m（質量）は小さくてもc（光速度）がとても大きな価なので、その2乗はとんでも

ない数字になる。

そこが魅力と人は思ったが、しかしこれは危険な誘惑だった。放射性物質は始末のしようがない。封じ込めると言うが、すべての容器はいつかは漏れる。重金属は体内に取り込まなければ害はないが放射性物質はそばにあるだけで生体に害を及ぼす。

福島第一原発で何が起こったのか

そういうことをこれまで言ってきたけれど、このような原則論だけに終始していていいものかどうか。言うことが硬直してはいないか。本当のところ、あの三月に東京電力福島第一原子力発電所（通称イチエフ）で何が起こったのだろう。八年たった今、改めて辿ってみたいと思った。

スリーマイル島とチェルノブイリとフクシマに共通するのは、炉の中で起こっている事象を運転員が把握できなかったということである。炉の中、圧力容器の中、格納容器の中は見えない。そこで起こっているのは目で見てわかるようなことではない。日本刀を作ったり陶器を焼いたりするくらいならば炉の中は目で見て温度を知ることができるが、原子炉では無理だ（炉という言葉を共有するのさえ間違っている。燃焼と核分裂は根本的に違う現象である）。

炉内を含む発電の機構と人間の間は多くの隔測の計器で繋がれている。他に方法はない。計器は事象のほんの一面ずつを伝えるにすぎない。それを総合して掌握することは人間に任されている。さまざまな事態を予想してマニュアルが作られているけれど、実際の話、そのマニュアルがカバーしているのは起こりうる事象のほんの一部にすぎない。言ってみれば道路沿いの施設しか記載されていない地図を持ってハイキングに出るようなもので、行く手に何があるかはわからない。事故が起こるというのは、いきなり深い森に追い込まれ、西も東もわからぬまままさまようようなものだ。

しかも事態は緊急だった。たった今起こっていることを理解する前に次の何かが始まる。山中で豪雨と噴火と熊が同時に襲ってくる。すべての処置が後手に回る。

3・11とそれに続く数日、イチエフでわかっていなかったことは何か？

1　地震が起これば海岸では津波が来るということ。安直に想定された高さを遥かに超える津波が襲来し、外部電源が失われた時のための非常用ディーゼル発電機と電源盤を破壊した。その結果、SBO（ステーション・ブラックアウト、全交流電源喪失）状態になった。計器がすべて死んだ。運転員は機器の工学的構造をすべて知っているわけではない。原発とは操作と応答だけがマニュアルに書かれたブラック・ボックスだった。

緊急の課題は冷却である。地震後、スクラム（制御棒の挿入による連鎖反応の停止）はできたが、それでも燃料は崩壊熱を放ち続ける。これを冷却水によって除去し続けなければ燃料の集合体は、まず外被のジルコニウム合金が融け、次に燃料のペレットそのものも融けて垂下し、圧力容器の底に穴を開けて、いわゆるメルトスルーに至る。

2　冷却装置の第一はIC（アイソレーション・コンデンサー、非常用復水器、通称イソコン）だった。炉の中の水蒸気を外部のタンクに蓄えた大量の水の中に導いて水に戻して再び炉に返す。電力を必要としないからSBOの状態でも作動するはず。

しかしこれは効果が強すぎるので連続使用すると圧力容器を傷めるとされていた。使っては止め、使っては止めしなければならない。その操作はレバー式だが、開か閉かの表示はレバーの位置ではなく表示灯だったから、停電で消えてしまってそれがわからなくなった。

ICには排気口がある。二つ並んでいるので「豚の鼻」と呼ばれる。スタッフの一人がこれを確認に行って、「もやもやと蒸気が出ている」と報告した。後になってこれは作動していない状態だということがわかった。作動していれば轟音と共に蒸気が噴出していたはずなのだが、現場の人々はそれを見たことがなかった。四十年来動かしたことがなかったからだ（日本原子力発電の敦賀原発には作動時の様子を知る人がいたというが、その情報は共有されていなかった）。

3　炉内の水の量を量る水位計の構造。

水位計は燃料集合体が冷却水に浸されているか否かという決定的な情報を得るために必須の計器である。

わずかに残ったバッテリーによって水位計は生きていた。問題のない数値が得られて人々は安心したが、これは間違った数値だった。

水位計は、他のタンクなどでも使われる手法だが、通底管によって炉内の水位を外に引き出し、それを間接的に計測するという構造になっていた。高温でその水が蒸発してしまうと正確な計測は不可能になる。

４　外部から冷却水を入れるために消防車が使われた。複雑な配管を繋いで経路を作って炉内に水を圧入する。うまくいっているはずなのに効果がない。後日の解析の結果、低圧復水ポンプと呼ばれる装置から漏れ出して復水器の三千トンタンクの方に流れていたということがわかった。低圧復水ポンプは作動していれば望まぬ方向に水が行くことはないが、停止していると漏洩源になる。

５　冷却のため原子炉内に注水するにはまずSR弁（主蒸気逃がし安全弁）を開いて炉内を減圧する必要がある。この弁を作動させるために高圧の窒素を入れたアキュムレーター（蓄圧器）がある。この圧力で弁を動かすのだが、弁体に加わるのは窒素の圧力そのものではなく裏から弁にかかっている背圧との差だ。そしてここでは背圧が格納容器の内圧上昇のために想定よりずっと高くなっていた。

高圧の気体を入れたアキュムレーターと弁の仕掛けは信頼性が高い。電気がなくても着実に作動する。そう思っているところに罠ができる。電気を失った施設では弁は開固着や閉固着を引き起こす。開きっぱなし、閉じっぱなし。この問題は結局、より高圧のＡＤＳ（自動減圧機能）用アキュムレーターを用いることで解決されたものの、すでに手遅れだった。

６　人々が二号機や三号機と闘っている最中に、運転していなかった四号機でも爆発が起こった。タービン建屋の配管を経由して流れた三号機の水素が上方に溜まっていたのだ。長い複雑な管路と無数の弁のシステムで流体の挙動のすべてを把握することができなかった。

原子力発電所の原理は単純である。まず原子炉という熱源がある。その熱で蒸気を作り、タービンを回して発電する。火力発電所と変わらない。ただし、火力発電所ならば事故が起こっても被害は敷地内に留まる。石炭殻にも排気にも放射能はない。

原子力発電所では安全のために原子炉の周辺に多くの機器が装着されている。それが複雑化しすぎて、運転員たちにはブラック・ボックスになっていた。だから正常な運転が崩壊して次から次へと未知の事象が襲来した時、彼らは弥縫策に終始するしかなかった。

圧倒的に強い相手とのテニスのようなものだ。飛来するサーブを返せない。こちらのサーブはことごとく強打となって返ってくる。右へ左へひたすら翻弄（ほんろう）される。

7　使用済み燃料プールの問題。

四号機は点検中で燃料集合体はすべて炉から出されて原子炉建屋の五階にあるプールの水の中に入れてあった。核燃料は連鎖反応に入っていなくても崩壊熱を出している。水で冷却し続けなければメルトダウンを起こす。格納容器もなく屋外に露出しているのだから原子炉そのもの以上に危険なものだ。プール内に水があるかないかが分かれ目。

結果として、幸いなことに、四号機のプールの水は失われていないことがヘリコプターからの目視で確認された。地震や建屋の水素爆発でもプールは破壊されることなく、またすぐ横の原子炉ウェルの水がたまたまうまく流入して露出を免れたらしい。

しかし、同時に、三号機の燃料プールも水温が上がって危険が迫っていた。ここに水を注ぐべく自衛隊のヘリが投入された。あの映像は国民ぜんぶが共有することになったが、要するに「二階から目薬」であり「焼け石に水」でしかなかった。

一号機と三号機は苦労の末なんとかベント（格納容器内の空気の放出）で内圧を下

げることができた。その際に大量の放射性物質が大気中に放出されたが、それでも格納容器の損壊に比べれば桁違いに少ない。

わからないのは二号機だ。

ここはベントができなかった。

なぜ格納容器は壊れなかったのか。どこかが壊れたのは間違いない。急な圧力の低下と放射線量の上昇からそれはわかった。おそらくは格納容器の下方にあるドーナツ状のサプレッション・チェンバー（圧力抑制室）に穴が開いたのだろうと言われている。本体の方は接合の隙間から圧が抜けたという説明もある（例えばＮＨＫ　ＢＳ１の番組「実録　福島第一原発　88時間」）。しかし密閉を旨とする格納容器にそんな隙間があるものだろうか。

改めて最悪のシナリオを想定してみよう。万事がうまくいかなかった場合、事態はどう進んだか。使用済み核燃料プールの水の喪失でも二号機の格納容器損壊でもいい。現実に起こったよりずっと大量の放射性物質が放出されたとする。現場付近の線量が上がって人が近づけなくなる。イチエフの敷地から撤退せざるを得なくなり、避難の範囲はどんどん広がってやがて十キロ離れたニエフ（福島第二原子力発電所）も放棄され、ここでも放射性物質の放出が起こる。運転員と電力が断たれれば原発は必ず壊れる。

横浜から盛岡までの範囲が危険区域になって数千万人が難民と化す。たまたま（！）、幸運にも（！）、このシナリオは現実のものとならなかった。それだけのことだ。

偶然が事態を左右する。

これは前に、進化について考えたことに似ていないか。理不尽だがしかたがない。しかし引き起こしたのは人間である。

核エネルギーについて言えば、普段はともかく事態が悪化した時のシナリオが悪すぎる。そうなることを想定の内に入れるならば、地震と津波と火山のこの国で、原子力発電所を運転するのはやめた方がいい。博奕としてオッズがあまりに悪い、とプロのギャンブラーは言うだろう。

原爆とはなんと単純なものか

二〇一二年から翌年にかけて、ぼくは『アトミック・ボックス』（角川文庫）という長篇小説を新聞に連載した。一九八〇年代の日本に核兵器開発の秘密計画があったというポリティカル・スリラー。

書いている途中で『ロスアラモス・プライマー』を入手した。これは原爆の入門書で、オッペンハイマーの指示でロバート・サーバーという物理学者が作ったものだ。

サーバーは一九四三年四月にロスアラモスで新入りの物理学者たちを相手に、自分たちが何を作ろうとしているかを説明する簡潔な講義をして、その結果をパンフレットにまとめた。言うまでもなく極秘書類だったが、アメリカは一九六五年にその制限を解除した。今はインターネットで読めるし書物化もされた（今は日本語訳も丸善プラネットから刊行されている）。

これを読んで思ったのは、原爆とはなんと単純なものかということだった。それは砲弾型でも爆縮型でも変わらない。ウラン235かプルトニウムを臨界直前の状態に保っておいて一気に臨界に至らせる。もちろんウラン235やプルトニウムの製造は大変だし、爆縮型ならば雷管の同期を実現するのも容易ではない。しかし原理的には単純なのだ。部品数は普通の乗用車よりずっと少ないのではないか。

『アトミック・ボックス』の中、「あさぼらけ」の終幕で登場人物の一人が言う――

「爆弾は簡単だ」「じっと待っていていざという時に爆発すればそれでいいんだから。保管時に暴発さえしなければそれはよい原爆だ」

あるいは――

「ぼくは比較しているんだよ」「ずっと運転しつづける発電所に比べたら、出番を待って眠ったままの爆弾の方を作る方が気が楽さ」

エネルギーとコントロールのずれということがある。テクノロジーの発達で我々が扱うエネルギーの量は等比級数的に増しているが、それをコントロールする政治力や倫理の力は変わっていない。ことはマルサスの人口論に似ていて、資本主義のせいで更に悪くなっている。人間の性格を変えることはできないし、試みるべきでもない。なぜならそれは思想統制でしかないから。

核エネルギーは人間の手に負えないというのは、こういうことだ。

イチエフを巡って、現場と東電本店、官邸ならびに官僚たちの間で起こったのは、正常化バイアスとパニックの間の振動という現象だった。四基の原子炉の崩壊という事象が供給する心理的エネルギーによって励起されたポジティブ・フィードバック。

八年後の今になって総括すれば、すべては「あんなことになった」と「あれで済んだ」の間の綱引きだ。「忘れまい」と「忘れよう」のプロパガンダ合戦。日本人が「忘れよう」を選ぶというのならそれでもいい。しかし、熊本(くまもと)地震に見るように、我々の国土は脅威に満ちている。イチエフは対応として大失敗だった。では、次の時はどうするのか？

体験の物理、日常の科学

最近、科学の分野でいちばん愉快な話題は皇居内に棲息するタヌキの糞の研究だった。この雑食の動物はいつも一定のところで糞をする。そこに行けば試料が得られるから、これをもとに食性を探る。たぶん水で溶いて網で漉し、残った種子など固形のものを顕微鏡で見て同定したのだろう。「ムクノキやクサイチゴ、エノキなど8分類群の植物がタヌキの主要食物と判明」と記事にはあった。

同じ方法で食餌の分析をするのはフクロウの類でよく知られている。彼らは食べた小動物の骨など消化不能のものをまとめて吐き出す。これをペリットと呼ぶのだが、巣の下に散乱するペリットから鳥の食性がわかる。

さて、タヌキの糞の研究をしたのは上皇、つまり明仁さんである。吹上御苑の中でタヌキのトイレットの場所はわかっている。毎週日曜日の午後二時に自らそこに行って試料を採取された。二〇〇九年からの五年間で二百六十一回足を運び、百六十四個の糞を得たという（行幸などで留守の時は職員が代行）。

なんと楽しい、心躍る日曜日の午後だろう。

科学の進歩の一方で、すべてがブラック・ボックスに

科学が日常から遠くなってしまった。

その気になって研究しようとすればタヌキの糞のようにテーマはいくらでもある。しかし日々の暮らしの中の科学が、その気がなくても目についていたはずの自然の姿が、見えなくなった。

科学は進んでいる。

それは間違いない。先端の研究施設からは日々新しい知見が報告されている。宇宙で言えばダークマターやダークエネルギーの実体が少しずつわかりかけている。脳の研究だって日進月歩だ。

そういうのは素人にはわかりにくいから応用面で言えば、例えば去年までは治らなかった病気が今年は治せるようになる。

白熱電球は蛍光灯に代わり、キセノンランプや水銀灯が登場し、やがてLEDになった。消費電力はぐんと少なくなった。

その一方ですべてがブラック・ボックスになり、原理が見えなくなった。自分の子供の頃を思い出してみると、白熱電球の原理はわかっていた。どこの家庭にも簡便な煮炊きのために電熱器があったから、ある種の電線に電気を通じると発熱することは体験的に知っていた。螺旋（らせん）の溝を刻んだ陶器の盤にニクロム線（ニッケルとクローム

の合金の電線）のコイルが埋め込んである。抵抗値が高いから通電すると赤くなって熱を発する。ニクロム線は寿命が短くてしばしば切れるので、ニクロム線のスペアを用意しておいて交換する。溝に押し込み、端をネジに巻き付けてしっかりと締める。プラグを差し込むと電気が通って熱くなる。

電気製品に限ったわけでなく、たいていのものは修理できた。ぼくはミシンの掃除が得意で、家のだけでなくご近所のまで引き受けた。可動部の埃を拭って油を注すだけでぐんと滑らかになって音も軽快になる。足で踏むペダルからいくつものロッドやリンクを経て力が伝わる過程は見るだけでわかった。

三十年ほど前に付き合いのあった自動車の修理工場。オヤジさんは進駐軍の車を扱うところから始めたという叩き上げで、本当に車が好きだった。同じような男がぼくの友人にいて、彼らは共同で廃車になった米軍仕様のジープを手に入れ、苦労して完動状態に戻した。ぼくも時々これを借りて乗り回したが、とても楽しかった。何から何まで鉄でできていて、ギヤを入れるのもガチンガチンという手応え。実際の話、あのジープにはプラスティック部品はほとんどなかったはずだ。あってもせいぜい電気系統のベークライト基板と電線の被覆のエンパイヤチューブ。

このオヤジさんが「近頃の若い者はまともな修理ができない。アッセンブリーごと替えるだけで修理だと思っている」と嘆いた。若い者が悪いのではない。車がそういう風に変わったのだ。

ジープではないが、ぼくはGMCと呼ばれる米軍の三軸十輪のトラックの運用マニュアルを持っている。エンジンは直列六気筒のディーゼル。『カデナ』(新潮文庫)という長篇を書く時に手に入れたもので、各部の働きが一目でわかるようにできている。極地用キットというものがあって、それにはキルトのボンネット・カバー(正確に言うと quilted engine compartment cover)が入っている。エンジンの温度が華氏二百度(摂氏九十三度)を超えたらこのカバーを外せという指示がある。外さないとエンジンはオーバーヒートする。なるほど。

あるいは車の前部にウィンチが装着されている。全輪駆動だがそれでもジャングルでぬかるみに嵌(はま)って動けなくなるかもしれない。そういう時はウィンチのケーブルを繰り出して前方の立ち木などに結びつけ、ウィンチの力で脱出する。その際の注意が細々とある。

万事がわかりやすい。

軍隊というのは末端では合理主義なのだ。カラシニコフがあれほど普及したのは、設計に余裕があって多少の砂やごみが入っても動作に影響が出ないからだという。

感覚で納得できたあの頃の科学

この半世紀で日常生活の表層がずいぶん変わった。

先ほど挙げた電熱器がいい例だ。電流は目には見えないがそれでも線が二本繋(つな)がっていて、何かがそこを流れているのはわかる。その何かがニクロム線の中で熱を生む。しかし、電子レンジの発熱の原理はもうわからない。マイクロ波が水の分子を揺すぶると言われて、そうなのかと思うくらい。

電熱器だって似たようなものかもしれないが、しかしあの赤くなったニクロム線は薪(まき)や炭の延長上にある。うっかり触れれば火傷(やけど)するぞと目に訴えている。我々が火を使うようになってからの数十万年の体験と地続きにある。

電熱器と言えば、子供の頃、『おはなし電氣學』（明治書院）という本を夢中になって読んだ。説明が具体的で、電気のことがとてもよくわかった。先日、ひょっとして手に入らないかと古書のサイトで検索してみたところ、ちゃんとあった。

そして、驚いたことにこの優れた啓蒙(けいもう)書の著者（佐野昌一(さのしょういち)）はなんと海野十三(うんのじゅうざ)（ペンネーム）だったのだ。つまりもう一冊の愛読書であった『浮かぶ飛行島』（大日本雄辯會講談社）の著者と同一人物！　わかってみるとこの軽妙で達意の文章はたしかに作家のものだ。

あの頃の科学は感覚で納得できた。今はそうではない。

それは身辺に生の素材が少なくなったからだ。鉛筆を削るのは木の質感に手の筋感覚で向き合うことだった。片刃のカミソリを組み込んだボンナイフを正しい角度で木に押し込む。まず塗装の抵抗感があって、それから木の中に入ってゆき、やがて芯(しん)に当たる。そこで手を止める。芯を削るのはまた次の段階だから。鉛筆を廻(まわ)しながら何回か刃を入れ、ぜんたいをきれいな円錐(えんすい)形に仕上げる。いい匂いがする。それから芯の先を紙の上に固定して、やはり廻しながらカリカリと尖(とが)らせる。ぼくはいつもテスト用紙が配られてから、問題をざっと見ながら数本の鉛筆を削ることにしていた（こんな習慣、半世紀以上も忘れていた）。

こうして手でつかんだ木の質感はやがてちょっとした大工仕事に役に立った。母というのがおかしな人で、買った家具を改造したがる。「この棚板は外してしまって」などと言われて動いているうちに道具の使いかたが身についたし、縁台くらいは作れるようになった。家具というものに対しては今のＩＫＥＡや無印良品の原理を先取りしていたと思う。つまり簡単なカスタマイズを自分でする。ただし、今のＩＫＥＡや無印良品には材質感が薄い。それが要らないように部材が用意されている（振り返れば、いつも身の回りの家具の半分はＩＫＥＡや無印良品であった。嗚呼(ああ)、なんと引っ越しの多い人生であったことか）。

大工仕事は縁台から始めて本棚や机にまで及んだ。市販の本棚は棚と棚の幅が半端で使いにくい。自立を旨としているから奥行きがありすぎる。日曜大工という言葉ができて専門店が増え、素材も手に入りやすくなった。六十ミリ角のラワン材一本ずつを左右の柱にして、釘(くぎ)などを使わずに切り込みだけで組んだ文庫本専用の棚など、我ながら傑作だったと思う。背後の壁に留めるから倒れることはない。人に頼まれて出張制作も何度か行った。

これはみな質感の仕事である。この厚みの板にどのサイズの木ねじを使えばしっかり固定できるかが課題。板の厚さに対して直角に使うのは難しくない。木ねじも板も引き抜きの力には強い。板の長さに平行に小口から入れる木ねじは神経を遣う。板厚のちょうど中心に入れなければならない。

壁に留められる場合はいいが、そうでない時はひしゃげて平行四辺形になるのを防ぐ工夫が要る。いちばん簡単なのは薄いベニヤ板を背面に張ることだ。

机は天板と脚を繋ぐ金属のジョイントが市販されて、作るのがとても楽になった。丸い脚の先端にねじが組み込んであり、天板に木ねじで取り付ける金具にがっちり装着できる。今、仕事用の机と卓はみなこの工法によるものだ。安いし、単純明快で、白木のままでもそれなりに美しい。引っ越しの時は板一枚と四本の棒に分解できる。

木など自然の素材には細部がある。薄く切り出して顕微鏡で見れば細胞が見える。更に倍率を上げればもっと微細なところまで見える。プラスティックには細部はない。

どこまでもただのっぺりと均質なだけ。干物と蒲鉾(かまぼこ)の違いと言おうか。

今、我々のプラスティックへの信頼度は高い。水の入ったペットボトルとパソコンを平気で一つのバッグに入れて不安に思わない。しかし、プラスティック製品はおもしろくないのだ。はじめから完成されていて手を入れる余地がない。

自然にあるモノ、自然界で起こる現象を生活に応用する

先端の科学者が追い求める宇宙の真理を理解するための読書をぼくはずっと続けてきた。この本の各章など正にその成果だ。科学啓蒙書の書き手や、最近ならばサイエンス・コミュニケーターの仕事に敬意を払う。博物館や植物園が好きだ。

その一方で、日常の科学もあると思うのだ。

身辺のものを五感で知って、覚えていって、自分なりに系統化する。ある程度は周囲の人々と共有できるが、普遍というほどのものではない。

やはり子供の時に眺めていた本に『体験の物理』というのがあった。中村清二(なかむらせいじ)著、河出書房刊、全三巻。昭和二十六（一九五一）年刊行で、手元の上巻を見ると半年ほどで四刷まで行っている。

この著者は言う――

「これまでの日本に於ける科学教育は正当な途をたどっては居なかったと思う。中等

学校の教育が特にその方法を誤って居て、物理学の如きは専門家を養成するような『学』を授けんとしていたり、また高等の学校への進学の準備に追われてその便法として教科書を講述してあたかも記憶学科のように取扱われていた。」

だから本当の科学を取り戻そうとこの人は戦時中、『身辺物理学』という本を九か月かけて書いて出版社に渡した。ところがその原稿は終戦直前に戦災で焼失してしまった。もう一度がんばって五年後に再度書き上げたのがこの本。

この姿勢は正に「科学する心」である。前に書いた橋田邦彦のメッセージだ。彼が文部大臣になったのは昭和十五年だったから、あるいは『身辺物理学』執筆のきっかけは案外この言葉だったのかもしれない。

「一種の科学随筆のようなもの」と本人が言うとおり、軽い筆致だが日常からの話題の切り出しかたがうまく、系統性もあって、図版も充実、教科書のようにも読める。今で言えばサイエンス・カフェに使える。

例を挙げよう——第23話「液面に浮かぶ小物体」では小目次に「アメンボウの如き小虫が水の上を走り行くわけ。針金を曲げて水の上に浮かせる。水面に浮かぶ二つの小物体が相引き又ははじき合うこと。短冊などにする墨流（スミナガシ）の方法。汚れた浴槽の湯の表面をきれいにする方法」という話題が並んでいる。

表面張力と親水性・疎水性の話で、今ならばここに界面活性剤の話が加わるだろう。

洗剤やシャンプーの主成分は界面活性剤、ボトルに入ったドレッシングの成分の一つは乳化剤。この二つはほとんど同じ、というのは食卓の消費者は知らない方がいいだろうか。

今、プラスティックとデジタル機器に囲まれた我々が日常で自然の素材に触れる機会が何かあるかと考えると、料理というのが思い浮かぶ。

料理の始まり——

第一のきっかけは人間が石器など刃物を手にしたこと。刃物のおかげで獲物を小さく捌（さば）けるようになった。いや、それ以前に獲物が入手しやすくなった。槍（やり）くらいなくては鹿を捕らえるのは難しい。弓矢となると威力は計り知れない。

第二は火である。

人間は火を生活に取り込んだ。動物にとって火とは山火事など、ただ災厄だった。走って逃げるしかないことは、幼い時に見たディズニーの映画『バンビ』で知った。植物ならば火事で競争相手がいなくなった山野ですばやく芽を出して他よりも早く成長するという生存戦略もあり得る。シラカバはそうやって伸びるが、やがては他の木に場所を譲る。自分たちだけで極相（クライマックス）には至れない。

それに対して人間は火をポータブルなものにした（ここでヒトが人間になったと言

うこともできる）。火を維持し、管理し、利用する。常に薪を用意しておいて消えないようにする。今もって我々が聖火ごっこでやっていることだ。

火はまず暖を取ることができる。

夜を明るくできる。

そして、調理に使える。

はじめはたまたま火の中に落ちた獣肉がいい匂いを放ったことだっただろうか。そのため我々は今も獣脂の焦げる匂いに抵抗できない。この匂いはメイラード反応の結果である。

自然にあるモノ、自然界で起こる現象を、自分たちの生活に応用する。そこに落ちているモノを食うのではなく、それに働きかけて別のモノにする。煮炊きする。実を拾ってくるのではなく、種を蒔いて育てる。つまり、文化。

文化によって人間は自然界の中に自分たちだけの結界を張った。後はやりたい放題。他のすべての種を出し抜いて、自分たちに都合のいい環境を用意してぬくぬくと暮らす。人口数十億になる。果ては温暖化で環境を一変させる。他の種はみんな迷惑だと恨んでいることだろう。

それはともかく、料理だ。

ヒトは植物を食べ、他の動物を食べる。

食物となるものに食べやすいものと食べにくいものがある。食べにくいとは、まず嚙み切って咀嚼して呑み込むという過程が困難なもの。

そして消化が難しいもの。体内に取り込んでもそのまま素通りしてしまう。一般に草食動物は長い胃腸で時間をかけてセルロースを消化する。ウシなどは微生物の助けを借り、反芻もする。ウサギは糞食によって食物を二度まで消化管を通す。どちらもヒトにはできないことだ。

先に書いたように人間は刃物で獲物を捕り、更に解体して食べやすくする。ハイエナなどに比べればヒトの歯と顎は非力だから獲物の肉をむしり取る能力が足りないが、刃物を使えば肉は容易に切り分けることができる。それを我々は今も日々実行している。

そして火は食物を変質させる。消化しにくいものが消化しやすくなる。

植物は食べられないように体内に毒物を用意する。いわゆるアルカロイドの類。だから例えばチンパンジーやゴリラは多様な植物を少しずつ食べることで毒の効果を分散している。人間は火を通すことでその毒性を中和してしまう。

文化と言えば、火以前、最初期のヒトは手に石を握ることで他の動物が利用できない高栄養の食物を得たという説がある。動物の骨髄。嚙み割るのは難しいが叩き割ることはできる。これが初期のヒトの知的進化を促したという。

料理は身体感覚を用いる科学の第一歩

厨房に立ってみよう。身体感覚を用いる科学の第一歩。ブラック・ボックスに対抗する仕事。

最も単純な加熱だけの料理としてローストビーフを考える。牛肉の塊を中心部分が五十五度くらいになるまでゆっくり加熱する。それだけ。

事前の準備はいくつかある。冷蔵庫にあったのなら外に出してしばらく放置して常温に戻す。塩と胡椒をすり込み、形を保つために紐で縛る。表面をフライパンで焼いて固める。適当な温度（例えば百二十度）に設定したオーブンに入れて、中心部が五十五度になるまで熱を加え続ける。今は素材の中に差し込むタイプのデジタル温度計があるから、それを使えば間違いなくその温度にできる。そうでなくてもプロは何回となく繰り返して完璧な方法を体得している（素人料理のハンディキャップは毎日違うものを作らされることだ。我ながら偉いと思う）。

要は熱伝導の応用問題だ。外側からゆっくり中へ熱が伝わり、中心に向かって温度勾配ができる。

熱の伝わりかたには他に放射と対流がある。カレーうどんはとろみのために対流が起こらない。なかなか冷めないから急ぐ時は本当に困る。

万事を科学的に説明すればだいたいこんなことになるが、しかしたいていの料理を人は勘でやっている。ぼく自身のことで言えば素材は計量しても調味料は量らない。大雑把に入れていってまず間違えない。素材そのものが塩を含む時はその分だけ加減する。この「加減」という言葉がたぶん料理の神髄だ。事態に応じて加えるか減らすか。

素材ごとに火の通りかた、味の染みかたは異なる。大根はいくら煮ても崩れないが蕪はすぐに柔らかくなる。蒟蒻は頑丈だが豆腐は煮すぎると鬆が入る。男爵とメークインとインカのめざめは用途が違う（余談ながらぼくは「馬鈴薯」という言葉が好きだ。馬の鈴、あんな形だったのだ）。

蕎麦を茹でる時、昔はびっくり水を用意した。沸騰しすぎないよう途中で差し水をする。それは竈など火が加減できなかったための知恵で、ガスや電気になってからは不要になった。

茹で上がったら冷水にさらす。大きなボウルに水を用意しておいて、蕎麦をそこに放ち、流水の中で揉む。柔らかかった蕎麦がみるみるきりっとするのが指先でわかる。

札幌に暮らしていた頃、この寒冷の地の利点は夏でも水道の水が冷たいことを喜んだ。蕎麦もうどんも引き締まる。その一方、世間ではバカな蕎麦屋が氷水で冷やしたざる蕎麦を出してくる。冷たすぎて風味も何もあったものではない。

こういうこと、身体感覚なのだが、その一方で個人単位の科学でもある。

オムレツを焼く。卵の蛋白質（たんぱくしつ）が熱変性を起こす過程を頭の中でシミュレートしつつ熱を加え、目で観察しながらフライパンを振って形を整え、最適のところで皿に移す。熱源から離してそれ以上は変性が進まないようにする。前段階のバターと塩、胡椒、具などのことは省略。

中華料理の基本形は強火で炒（いた）めた素材に調味料を加えること。この調味料はいくつかの要素から成る。青椒肉絲（チンジャオロウスウ）用などと言って予（あらかじ）め混ぜた市販品もあるがあれはおいしくない。直前に自前で混ぜる方がいい。

中国人は新しい調味料を作ることに長（た）けている。一九八〇年代に香港（ホンコン）でXO醤（ジャン）が出た時はセンセーションだったと聞いた。最近ぼくは柱侯醤（チューホージャン）が気に入っている。いずれ飽きるかな。豆瓣醤（トーバンジャン）、甜麵醤（テンメンジャン）、豆豉醤（トウチジャン）（ブラック・ビーン・ソース）は常備。

科学は五感をもって自然に向き合う姿勢

科学は知識ではない。『体験の物理』が言うとおり、受験の学でも暗記物でもない。五感をもって自然に向き合う姿勢なのだ。そして自然は身近なところにいくらでもある。

だから注意深い観察者は近代科学とは無縁なところでそれぞれに系統的な自然像を作ってきた。

クロード・レヴィ＝ストロースが『野生の思考』（みすず書房、大橋保夫訳）の最初の方で引用しているA・H・スミスの論文によれば——

〔その島では〕子供でさえ、木材の小片を見ただけでそれが何の木かを言うことがよくあるし、さらには、彼ら現地人の考える植物の性別でその木が雄になるか雌になるかまで言いあてる。その識別は、木質部や皮の外観、匂い、堅さ、その他同種のさまざまな他の特徴の観察によって行われるのである。何十種という魚類や貝類にそれぞれ別の名がつけられているし、またそれらの特性、習性、同一種の中での雌雄の別もよく知られている。

この島とは沖縄県の石垣島（いしがきじま）であり、調査の場所は川平（かびら）、論文の発表は一九六〇年だった。

こういう知識は必ずしも実用のためではないとレヴィ＝ストロースは言う。人間には物的欲求とは別に知的要求があると。

自然界に対してこのような知的な姿勢で向かう者、それによって自分の中に自分なりの知の体系を持つ者は、そこから臨機応変に有意義なものを作り出す。「ありあわせの道具材料を用いて自分の手でものを作る人」をブリコルールと呼ぶ。その種の仕事はブリコラージュと呼ばれる。

先に料理のことを長々と書いたのは、現代でも料理はしばしばブリコラージュになるからだ。今日は何々を作ります。まず材料を用意して……ではなく、冷蔵庫の在庫一掃に踏み切る時、料理人はブリコルールである。

ずっと昔、カリブ海のタークス・カイコス諸島の小さな島に十人ほどのチームで滞在していた。ある日、料理当番が回ってきた。サラダやパスタはどうにでもなるが、メインディッシュをどうするか。

この島の特産品はロブスターである。幸いこれはいくらでも使うことができる。スーパーに行って他の素材を探すが大したものはない。葱(ねぎ)のような野菜があったのを買い、ケチャップとタバスコを買い、中国製の怪しいものだが醤油(しょうゆ)もあったので買う。早い話が干焼明蝦(ガンシャオミンシャー)(エビのチリソース)を作ったのだ。豆瓣醤(トウバンジャン)がないところをタバスコで補う。料理とはいつだってこういうことではないのか。

具体物のブリコラージュの話の横にレヴィ＝ストロースは神話について瞠目(どうもく)すべきことを書いている——

> 神話的思考の本性は、雑多な要素からなり、かつたくさんあるとはいってもやはり限度のある材料を用いて自分の考えを表現することである。何をする場合であっても、神話的思考はこの材料を使わなければならない。手もとには他に何もないのだから。したがって神話的思考とは、いわば一種の知的な器用仕事（ブリコラージュ）である。

作家としてぼくは自分がやっているのはやはり神話的思考だと思っている。詩も小説も、原理はありあわせの継ぎ接（は）ぎなのだ。その極致として、ジェイムズ・ジョイスの『ユリシーズ』とか。

知力による制覇の得失

先日、「世界遺産　ラスコー展　クロマニョン人が残した洞窟壁画」を見に行った（二〇一六～二〇一七年、国立科学博物館）。

洞窟(どうくつ)の岩の壁を立体的に再現したレプリカで、その場に立ったような臨場感がある。描かれた時は暗かったわけで（現場から獣脂を使うランプが出土している）、とぼしい照明で壁面に張りついて描いた画家の目と手と身体の動きを想像して感動する。

しかも一人でできることではなかった。明らかに数名の共同作業で、つまり彼らには高度のコミュニケーション能力があった。

バイソンや馬、牛、鹿や犀(さい)などの動物たち。どれも生命感にあふれた絵だ。人間の絵を描く能力は二万年前も今もまったく変わっていない。科学は得られた成果を蓄積できるから進歩するけれど、芸術の才能は個人に属する。画風の変化はあっても進歩ということはない。

牛を見て、子供の頃、牛を描く時は背中の線を頭部まで水平にするとそれらしく見えると知った時のことを思い出した。それに対して馬の首はぐんと上がっている。そして横から見た牛の頭は三角形で馬はもっと長い。

絵として見事なことに驚く以上に、絵という概念がここに実現していることに改めて驚く。世界は牛や馬や木々や岩や鳥などの具体物から成っているが、それらを見ることとそれを絵として再現することは違う。ラスコーの画家は自分の心の中にあるイメージを壁面に投射した。

なぜ人は描くということを思いついたのだろう？

この「人」とはヒト、つまり生物学的な意味での人間であり、クロマニョン人であり、ホモ・サピエンスに属する。我々とまったく同じ人々だ。つまりぼくたちは彼らに会って、親しくなって、ひょっとしたらその一人に恋をして、一緒に暮らし、子を育てたかもしれない。

人間はどこから来てどこにいるのか

古代や先史時代の芸術にずっと惹かれてきた。

ラスコーに似たもので言えば、アボリジニの岩壁画。これが見たくてオーストラリア北部のアーネムランドまで行った。ここでは洞窟の中ではなく岩山の棚状の窪みの天井に長さ数メートルの「虹の蛇」が描かれていた。アボリジニ神話の恐ろしい神である。あるところで忽然と現れ、空を飛んで、あるところで消える。時には急降下して行いの悪い子供をむさぼり食い、その骨を大地に撒き散らす。創造者にして破壊者。

自然の恩恵と脅威をそのまま具体化する。人間が自然に対して持つ畏怖の念に形を与える。でも、なぜ、そんな抽象的な概念に「形を与える」という考えが浮かんだのだろう？　そもそも我々の頭に浮かぶイメージとは何か？

今回の「ラスコー展」にイタリアのグリマルディから出土したヴィーナスと呼ばれる立像が参加している。高さ五センチほどと小さくて、胸や尻など豊満さが誇張されている。これは石を刻んだものだが、長野県の茅野市から出た「縄文のビーナス」という土偶がよく似ている。中国の作家・莫言に『豊乳肥臀』（平凡社）というタイトルの長篇があるけれど、正にそのとおり。豊饒祈願の意味があるのだろう。

その横に山形県舟形町の「縄文の女神」を並べてみようか。こちらはすらりとして、ひたすら美を求めた結果と見える。ここまでの抽象化の成果を見てため息を漏らす。

子供に粘土を与えれば自ずから手が動いて何か作るだろう。おそらくは具体物をなぞったものが手の先から生まれるだろう。不器用であるがゆえに抽象的になるとしても、しかしその時、子供は頭の中にあるイメージを手を通じて粘土で再現しているのだ。はるか昔から人間は塑像や彫像を作ってきた。それには心の中にイメージが先行していなければならなかった。

十数年前、古代や先史時代のアートが見たくて世界中十数箇所の遺蹟に赴き、『パレオマニア』という本を書いた。このタイトルは勝手な造語、古代妄想狂というような意味で、企画自体が誇大妄想だったかもしれない。現代文明に何かと不満があって、それに対抗する立脚点として古代を持ち出す。ギリシャ、エジプト、メソポタミア……。一般的な「昔はよかった」の極端な例だろうか。過去に戻ることはできないと承知で、またそのつもりもないのに、現代を批判するために遠い昔を引き合いに出す。持論に都合のいい便法であるのはわかっているのだが。

今、また人間が立っているこの位置を改めて確認してみたいと思う。時事的な各論ではなく、総論として人間はどこから来てどこにいるのか、それが知りたい。一年先ではなく（それだってとんでもないことになっているかもしれないが）、百年先、千年先が知りたい。まるでゴーギャンのあの絵のタイトルのように。

そういう視点から読んで『サピエンス全史』（河出書房新社）という本はおもしろかった。ユヴァル・ノア・ハラリという若いイスラエル人の手になるもので、まあ博学多才、八宗兼学、たいしたものだ。まずは知識の量がすごい。理系と文系をすっかり網羅しているようで、フィールドからフィールドへとジャンプして駆け抜ける様に感服した。

今の最先端の学問の知見を幅広く身につけた結果、唯物弁証法で言うところの量から質への転換が起こっている。これだけものを知っていると事態の全容が見える高みにまで昇ることができる、という感じ。

だがそちらへ急ぐ前にひとまずラスコーの洞窟へ戻ろう。なぜ絵が描かれたかを問う前に、なぜ人間の頭にイメージというものが発生したのか？　イメージはイデアと呼んでもいい。それを『サピエンス全史』は「認知革命」という言葉で説明する。

前提として、ホモ属はサピエンスだけではなかったことを思い出しておく。数百万年前に類人猿の仲間から分かれてヒトとなって以来、数多くのホモが生まれて、しばらく世にあって、絶滅した。サルからヒトへ数段階を経ての進化という俗説の絵図は捨てた方がいい。ホモ・サピエンスへの道は一直線ではなく、樹枝状になっていた。多くのホモがいたのだ。その一本の梢（こずえ）がたまたま伸びてサピエンスになった。他の枝は途中で途切れた。そうなるについてはいかなる必然も計画もなかったし、それ故にサピエンスを自然界において特権的な地位に置く理由もない。早い話が、我々は唯一神に愛された別格の被造物ではないのだ。

なぜサピエンスは繁栄したのか

ホモ属は知力に頼って生きるという道を選択した。進化の過程を通じて脳を異常なまでに大きく育て、大量にエネルギーを消費する脳を運転するために筋肉を減らし、腸も短くした。だから筋力では同じ体重の他の動物に敵（かな）わない。消化力の低下は（たまたま「体験の物理」のところで書いたことだが）火を使うことで補われた。体重の二～三パーセントにすぎない脳がエネルギーの二五パーセントを消費してしまう。それでもこれは有利な取引だったように思える。

ホモ属のうち、最後に滅びたネアンデルターレンシスと現存のサピエンスの違いは言語にあるとハラリは言う。それは「まったく存在しないものについての情報を伝達する能力だ」。

言語はサピエンスだけのものではない。音によって意思を伝えるという意味では鳥のさえずりもクジラの歌も一種の言語である。「川の近くにライオンがいる」とはネアンデルターレンシスも言えたかもしれない。あるいは「Aの妻とBの夫が寝ている」とも。しかし、「ライオンはわが部族の守護霊だ」と宣言する能力はサピエンスにしかなかった。

それがなぜ今見るような圧倒的な、しかし同時になんとも危なっかしい、サピエンスの繁栄に繋（つな）がったか。

生物には個体と個体の戦いだけでなく、種対種の戦いもある。食うか食われるかであり、同じものを食する他の種にいかに先んじるかだ。そのためには群れを作るのが有利。そして群れの中で意思の統一ができれば、それは他の群れに対して、また他の種に対して、更にずっと有利な立場に就ける。
（群れが大事というのはわかるが、それはそれとしてなぜ英語ではライオンの群れをpride と呼び、魚の群れは school と言うのだろうか？　鳥の場合は flock だったっけ？）

それまでの類人猿レベルの言語ではまとめられる群れのサイズは百頭を大きくは超えない。顔見知りになれる相手はせいぜいそれくらいなのだ。

振り返れば、ぼくが通った高校は一学年が四百人だった。一クラスは五十人。ぼくがいかに怠惰かつ非社交的な生徒であったとしても同級生の顔と名くらいは覚えた。進級ごとにクラス替えがあったから百五十名は個体識別できたと思う（その他に、他のクラスや学年でも校内隅々まで評判の轟く美女もいたけれど）。

しかし全校生徒千二百人は把握できない。ぼくに自分はその一員であると認めさせ、生徒や教師を束ねていたのは東京都立富士高等学校という名前である。校舎ではない。校舎などは丘の一本杉と同じで、人々がそこに集うという意思を共有しなければがらんどうの建物にすぎない。抽象的なものを信じることで人間はいくらでも大きな集団を構成して他の種に立ち向かうことができた。百頭のチンパンジーでは人口一億の国家や信者数億の世界宗教にかなうはずがない。

ここでサピエンスを束ねているのは架空の言説、すなわち神話である。神話の利点は本能などと異なって速やかに差し替えが可能なところだ。ミツバチやシロアリは数万の個体からなる社会を作るけれども、それを司っているのは本能という固定されたプログラムである。環境が変化した場合に速やかに対応する力はない。幻想を信じる人間の知力は時に逆境をも有利な方に導く。ユダヤ人はバビロン捕囚という苦難を機として結束力を強めて今に至っている。一方、ヴェルディのオペラ「ナブッコ」でバビロニア人があっさりユダヤ教に改宗するのは、神話が交換可能であることの一例と言えるだろう。

ロシア革命を実現させたのは共産主義という神話だった。そこには何の実体もないのにロシアの人々はそれが幸福をもたらすと信じた。同じことはすべての革命、すべての信仰、すべての政体について言える。国民はアベノミクスの空約束を信じた。取りあえずは幻想に踊る間に数年は過ごせた。信じた日本国民は愚かなのか賢いのか。『サピエンス全史』にあることは最新の知見ではない。読みながら、たいていは知っていることだと思った。しかしハラリは大量に集積し、見事に整理し、要所要所を強調してわかりやすく記述した。そして衝撃的な結果を明示した。

卓見の一つが農業革命だ。

何年か前からぼくは弥生人よりも縄文人の方が幸福だったのではないかと考えていた。狩猟採集から農耕に移って生産量は増えたが、それがそのまま安楽を意味したわけではない。

ハラリはこう言う――

今日、豊かな社会の人は、毎週平均して四〇～四五時間働き、発展途上国の人々は毎週六〇時間、あるいは八〇時間も働くのに対して、今日、カラハリ砂漠のような最も苛酷な生息環境で暮らす狩猟採集民でも、平均すると週に三五～四五時間しか働かない。狩りは三日に一日で、採集は毎日わずか三～六時間だ。

たしかにテレビの自然番組で見るかぎりライオンたちはいつものんびり昼寝している。ホモ属の狩猟採集生活はさまざまな食物を少しずつ食べるので栄養バランスがよかった。散開的に暮らしているので伝染病のリスクも少なかった。

ではなぜサピエンスは農業に移行したか？

この説明はなかなか衝撃的だ。

人類は農業革命によって、たしかに手に入る食物の総量を増やすことはできたが、食糧の増加は、より良い食生活や、より長い余暇には結びつかなかった。狩猟採集で暮らしていた頃の方がずっと呑気(のんき)で愉快だった。農業に移行した後、もしも千年前を回顧できる知者がいたらそう思って嘆いたことだろう（文字による記録という方法を通じてぼくたちは今こうしてそれを行っているわけだけれども）。英国の詩人、オーデンが書いて大江健三郎が中篇のタイトルに引用した「狩猟で暮したわれらの先祖」というフレーズからはそういうノスタルジックな幸福感が滲み出る。

農業への移行に長期戦略があったわけではない。変化は少しずつやってきた。採集してきて食べた草の実が少し住まいの近くに落ちた。季節が一巡するとそれが芽を吹いて育って実をつけた。では蒔いてみたら、敢えて草の実をそこに捨ててみたら？　あるいは狩った山羊が仔を連れていたので、仔の方は殺さずに連れ戻って飼った。かわいいがしかし育ててから屠れば食べられる。

知力で自然に手を加えればその分だけ自然は利をもたらした。一段階ずつが誘惑的で、もとに戻ろうなどとは誰も考えもしない。そうやって財の余剰を増やしてゆくうちにサピエンスは財の虜になっていった。

人類は農業革命によって、手に入る食糧の総量をたしかに増やすことはできたが、食糧の増加は、より良い食生活や、より長い余暇には結びつかなかった。むしろ、人口爆発と飽食のエリート層の誕生につながった。平均的な農耕民は、平均的な狩猟採集民よりも苦労して働いたのに、見返りに得られる食べ物は劣っていた。農業革命は、史上最大の詐欺だったのだ。

サピエンスは地球上の生物の進化史において明らかに特異な例だ。突然変異と生態系のニッチとの相性、その結果の自然選択、などなどのゆっくりとした進化の原理にいきなり知力というまるで別の手法が乱入する。これは作用が速い。だから数万年で地球ぜんたいを席巻（せっけん）してしまった。当事者であるサピエンスがこの事態の全容を掌握していたわけではない。農業という新しい営みの方へおずおずと近づいた先で気づいたらとんでもないジェットコースターに乗せられていた。目先の利を追ううちに見も知らぬところに来てしまった。

ハラリが言うとおりこれは正に罠（わな）だ。魚を捕る梁（やな）と同じく、逆棘（さかとげ）が生えたトンネルである。ひたすら前に進むしかない。いずれは身を滅ぼすのではないかという不安のうちに、しかしさしあたりは新しいテクノロジーに誘惑されて、今日より豊かな明日を信じて、月間残業百五時間に耐える。正規の労働が一日八時間週五日だとすれば総計は二百五十時間を超える。狩猟採集時代とはとんでもない違いだ。農業に始まる生産革命は結局は我々自身を家畜化した。自縄自縛ではないか。

ここに家畜の福祉のことを重ねてみよう。ハラリはこう言う——

> 多くの乳牛は狭い囲いの中で、定められた生涯のほぼ全期間を、自分の排泄物

の中で立ったり、座ったり、寝たりしながら過ごす。機械で餌とホルモン剤と薬剤を与えられ、別の機械で数時間ごとに搾乳される。そこに存在するのは、乳牛というより、原材料を取り込む口と、商品を生み出す乳房でしかない。

つまり誰も幸福でないのだ。

読んでいて思ったのだが、『サピエンス全史』はこれまでぼくが考えてきたこととずいぶん重なる。とりわけ『楽しい終末』などと。

しかし、ぼくが悲観的だったのに対して、彼はサピエンスの未来を中立の視点で見ている。農業革命と労働時間については前述のように悲観的なことを述べるし動物の福祉にも言及するけれども、その一方で資本主義が機能していることも認める。

資本主義の基本原理は投資ということだ。見込みのありそうな計画を発表して出資を募る。うまくいった最初の例としてコロンブスのアメリカ大陸発見が挙げられている。結果としてこれはまことに有利な投資だった。スペインは大きな価値のあるものをとても安く買った。

そのスペインの凋落(ちょうらく)とオランダの擡頭(たいとう)の話もおもしろい。スペイン王家は絶対君主の身勝手のままに運営され、戦費調達と言って借りた借金をしばしば踏み倒した。信用がなければ業者は金を貸さない。近代的な金融ではリスクを分散した上で誠実に配当を支払うという約束によって出資者に安心感を与え、それで資金を集める。スペインは近代化に失敗したわけだ。

資本主義によってサピエンスは産業の規模を何十倍にも大きくし、商品が身の回りにあふれる社会を作った。この場合も一歩ずつ進んだのであって、今の時点から振り返れば、生産過剰、資源の枯渇、公害の蔓延（まんえん）などの弊害を生み出しているが、ハラリはその点には触れない。温暖化は深刻だと思うが、しかしこの本の索引に「飢饉（ききん）」はあっても「温暖化」や「公害」という項目はない。

更に彼は、核兵器というあまりに破壊力の強い兵器があったおかげでこの七十年間は大国同士の本格的な戦争はなかったと言う。たしかにキューバ危機はぎりぎりで回避できた。9・11で使われたのは兵器ではなく旅客機だった。

だが、核は拡散していることを無視はできない。すべての核兵器が冷静な大国の管理下にあるわけではない。トランプ大統領期のアメリカを見ればわかるとおり、今や冷静な大国などどこにもない。原爆のおかげで平和が保たれたという言葉は、次にどこか大都市で原爆が爆発する日の前日まで言えるだろう。次はラワルピンディ（パキスタン北東部の都市。陸軍総司令部が置かれている）かもしれないし、マドリッドか、広州（こうしゅう）か、あるいは札幌（さっぽろ）か、誰にもわからないけれど、しかし核兵器は「今そこにある危機」として存在している。

ディストピアが待っていても、この流れを止めるものはない

先が読めないままに高速で走っている。カーブの先が見通せない。この車にはブレーキがない。農業革命がヒトを奴隷化したと言うのはいいが、しかし戻ることはできないし、どこで間違えたのかも今となってはわからない。それはもう遠い過去だ。奴隷はいつになっても解放されない。同じことが資本主義についても、またグローバリゼーションについても（ハラリは帝国という表現を好むが）言えるのではないか。我々に未来を洞察する力はない。アルコール依存症の治療が自分が病気であることを認めるところから始まるように、この事実をまず認めよう。

現代に近づくにつれて彼の分析は切れ味が鈍くなる（まあ当然だけれども）。結局、サピエンスは知力を得たおかげで個体数を爆発的に増やした。環境を自分たちに都合がいいように変えることで寿命を延ばした。生態学で言えば種として大成功ということになる。ローマ帝国の貴族は何千人かの農業奴隷と何百人かの家事奴隷を使って安楽な生活を送っていたが、今の我々はそれと同じ安楽な生活を石油と電気とコンピューターで実現している。

だからと言って、幸福の度が増したわけではない。我々には不満を述べるという能力があって、これもたしかに知力のおかげではある。幸福な状態というものを想像で

きるからこそ、それと現実の差に落胆するのだから。牛は劣悪な環境で飼われていても、知力のない彼らはそれを嘆きはしない。嘆く能力がない。ただストレスがたまって不健康になって、それを不快ないし苦痛と感じているだけだ。

　ぼくは時おり社会的な発言をする。

そのいくらかは警告である。このままで行くと先の方ではとてもよくないことが起こる。『楽しい終末』はそういう姿勢で書いた本だった。だからどうしても悲観的な話に終始することになった。ありもしない希望を語るのは誠意に欠けるとぼくは思った。

　よくないことが起こると書いてそれが実現してしまうのは、自分が間違っていなかったとわかるにしても、気の滅入ることだ。あの本の中でぼくは原発について敢えて逆説的に「日本の原子力産業は世界で一番優秀であると言ってしまおう」と書いた。だがそれに続いて、「だが、運転技術の優秀性は事故の確率を下げはしてもそれをゼロにはしない。まして発生した事故の規模を小さく抑えるわけでもない」とも書いた。3・11の後では暗澹たる思いだった。

　二〇〇二年の晩秋にイラクに行った後で、イラクには大量破壊兵器はないだろうし、戦争になったとしてもイラク人はアメリカ兵を歓迎はせず、イラクの社会は壊れて悲惨な混乱の時期が長く続くだろうと書いた。これも当たってしまった。その結果の今の中近東の状態である。イスラム国（ＩＳ）の起源はあの戦争で生まれた権力の空白地帯にある。

ハラリはサピエンスを論じて未来に向かう。生命科学はどんどん進んでいるから、人体改造や遺伝子操作によって今の環境に対してより適性の高い個体を生み出すことが可能になりつつある。コンピューターと脳の生理学も発達しているから、いつか意識をコンピューターに移し替えることができるかもしれない。そうなればサピエンスは不死を手に入れられる（電気が供給されている限り）。

問題はこの流れを止めるものはないということだ。農業革命の場合と同じでその先にどれほどのディストピアが待っているにしてもフランケンシュタイン博士は研究を止めない。結局のところ、サピエンスはどこへ行くかわからないまま知力に駆動されてますます速く走ってゆくことになる。

ハラリの関心は数万年前に始まって今に至り、更に未来に向かうサピエンスの歩みである。だから科学者が実験動物を見るようにちょっと突き放してヒトを見ることができる。コンピューターの中で生きるサピエンスを想定内に置いて考えられる。『楽しい終末』を書いたぼくはたった今ここで生きている人間たちに対する愛着が強すぎてそこまで客観視できない。

ヒトの未来について別の展開を提示しておこう。前に『楽しい終末』でも引用したところだが、サル学の江原昭善（えはらあきよし）はこう言う――

（脳のサイズはもう変わらないが）脳の使い方が変わるだけで、まだ飛躍できる余地がある。まだ脳の半分は遊んでいるといわれていますからね。姿形はたいして変わらなくて、精神能力だけが大きく向上する。たとえば、人類の多くがキリストとかマホメットとか、ああいう偉大な精神能力を持った人間になるという可能性がある。

（立花隆『サル学の現在』〈文春文庫〉）

『昆虫記』と科学の文学性

昔、理系の学部に身を置いていた時期があった。

実際には能力の限界ゆえに教養課程レベルを大きく出ることはできなかった。実験の成績は悪くなかったとしても物理数学の講義にはなかなかついていけない。

いちばん専門領域に近づいたのは日本生物物理学会の「若手 夏の学校」に参加した時か。申し込めば誰でも行けるものだが、立山（たてやま）での合宿は楽しかった。と言ってもそこで飛び交う話題や議論は未知のものばかりで、さながら空中戦を見上げているような気分だ。ヤリイカという動物は神経細胞が格別に大きいので計測用の電極が差し込みやすい。これを使ってナトリウム・イオンとカリウム・イオンによる伝達の機序を明らかにする、などというのが勉強会のテーマだった。こんなことは今では脳科学の基礎の基礎である。

ツチハンミョウの不思議な生態

生物学について言えば、ぼくはフィールドを知らない。観察も採集もせず、もっぱら座学ばかり。

唯一、生活圏で生き物に目を凝らしたのは沖縄の知念村（現・南城市）で暮らした五年間で、それだって興味あるものの写真を撮っては図鑑で同定するくらい。一つの種を長く見続けるということはしなかった。

この間に書いていたエッセーで取り上げた動物を羅列してみようか。下のかっこの中に書いたのはほんの覚えであって厳密なものではない。

サシバ（鳥）
ウグイス（鳥）
ツバメ（鳥）
セセリチョウ（蝶）
セキレイ（鳥）
イソヒヨドリ（鳥）
シロガシラ（鳥）
タイワンキドクガ（蛾）
アマサギ（鳥）
セッカ（鳥）
クロサギ（鳥）

アシダカグモ　（蜘蛛《くも》）
トビズムカデ　（むかで）
ナナフシ　（昆虫）
ノビタキ　（鳥）
キアシナガバチ　（昆虫）
マガキガイ　（貝）
オオゴマダラ　（蝶）
アカマタ　（蛇）
ハブ　（蛇）
ヤンバルトサカヤスデ　（やすで）
ジャコウネズミ　（鼠）
ナガマルコガネグモ　（蜘蛛）
ミスジコウガイビル　（蛭《ひる》）
オキナワスジボタル　（昆虫）
オオシママドボタル　（昆虫）
モンシロモドキ　（昆虫）
オオジョロウグモ　（蜘蛛）

沖縄は暖かいから昆虫類が多いし個体が大きい。この中でナナフシは体長二百ミリはあった。昆虫ではないがトビズムカデは百三十ミリ、生きているのに出会えばぎょっとするだろうが、ぼくが会ったのは死んでいた。ヤンバルトサカヤスデは毎朝何千匹と湧いて出て始末するのに苦労した（嫌な臭いがするのだ）。

こういう観察のエッセーをまとめて『アマバルの自然誌』という本を出した。写真も少しは入っている。アマバルは我が家があったあたりのごく小さな地名である。ハルは原、つまり畑のことだが、アマはわからない。

ごく初歩的なアマチュアの遊びにすぎなかったが、なかなか楽しかった。

フィールドには出ないが博物学関係の本は好きで今もよく手に取る。

最近、本当に感心したのが、舘野鴻（たてのひろし）の『つちはんみょう』（偕成社）という絵本。この昆虫の奇妙な生態を八年がかりの観察で明らかにして、それを見事な絵で表現する。

この本によれば、ツチハンミョウはあえてコハナバチを選んでその巣穴の近くに産卵するという。つまりコハナバチの巣を探して、見つけてから卵を産む。かと言ってコハナバチを寄生の相手にするわけではない。

孵（かえ）ったツチハンミョウの一齢幼虫はやはり近くでほぼ同時に羽化したコハナバチの

身体に群がって取り付き、地面から花へと運んでもらう。コハナバチを地面から花までの区間の交通機関として利用するのだ。

花の上で待っているとさまざまな虫や鳥が飛来する。それを使って幼虫はヒッチハイクを繰り返す。最終の目的はヒメハナバチの身体に乗ること。花粉の食料を用意して産卵するそのヒメハナバチの花粉団子に移り、巣の中で孵ったヒメハナバチの子を食べて育つ。

途中は何であってもいいが、最初がコハナバチで最後がヒメハナバチであるところは動かせない。

これまでは草によじ登って花の中に隠れるとされていたが、そこを自力で登るのではなくコハナバチを利用していることをこの著者は八年の観察を通じて明らかにした。(すべてのツチハンミョウの一齢幼虫がコハナバチを利用するわけではないかもしれない。またツチハンミョウがコハナバチを運搬に利用することはファーブルも気づいていた。舘野の研究はこれを精緻に追試したものと言える。)

ツチハンミョウとは昔々少しだけ付き合ったことがある。

と言ってもこれも生きた実物ではなくブッキッシュなものだった。

半世紀近い昔に訳したジェラルド・ダレルの『虫とけものと家族たち』(中公文庫)という博物学の話題に満ちた愉快な本の中で、主人公であるジェリーという十歳

> の少年が奇妙な甲虫(かぶとむし)を見つける——
> 実に変わっているのはその鞘翅で、洗濯屋にだしたら縮んで戻ってきたとでもいうように、全然小さすぎるのだ。身体の大きさが半分のカブトムシの鞘翅を身につけているようだ。こいつは今朝探してみても洗濯ずみの鞘翅がなかったので、しかたなく弟のやつを借用してきたのだ、と考えるとなかなか愉快にはちがいないが、これは決して科学的に納得できる説明ではないだろう。

ジェリー少年はセオドア・ステファニデスという大人の博物学者に質問してこれがツチハンミョウであることを教えられ、更にその複雑な生活史を知る。セオドアは「競馬に賭けるようなものです……それも大穴をねらってね」と言う。

今になって考えると、この本を訳したおかげでぼくはユーモアのセンスを身につけ、というかそれから逃れられず、エッセーだとついついくすっと笑う部分を入れる誘惑に抵抗できなくなった。まさに三つ子の魂だ。

狂言「蚊相撲」の科学的観察

まったく別の分野の本を読んでいても昆虫のことは気になる。日本の古典では『堤(つつみ)

中納言物語』の中の「虫めづる姫君」がよく知られているが、先日、「蚊相撲」というおもしろい狂言を見つけた。

　都で相撲がはやっているというのでさる大名が相撲取りを召し抱えようと考える。狂言でいう大名は戦国大名ではなく、太郎冠者を使用人として雇えるくらいの裕福な身分の者である。

　この大名もはじめは相撲取りを三千人くらい抱えようかと言って太郎冠者に多すぎると諌められ、では五百人と言ってまだ多いと叱られ、最後はたった一人というところに落ち着く。そこで太郎冠者が相撲取りの候補を探しに行く。

　そこに登場する者が言うには、「まかり出でたる者は、江州守山に住む蚊の精でござる。天下治まりめでたい御代でござれば、都には相撲がはやると申すによって、相撲取になって都へ上り、人間に近づき、思うままに血を吸おうと存ずる」。

　蚊の精などというものが出てくるところがおかしいが、狂言ではキノコの精（「茸」）や、フクロウの精（「梟山伏」）など時おり妙なものが現れる。

　さて、この怪しい相撲取りを雇ったのはいいが、腕前がわからない。一番取らせようということになったけれど、相手がいない。結局は大名自身が相手になるがあっという間に負けてしまう。しかも取り口がなんだか怪しい。

江州守山出身と言っていたが、そこは蚊の名所（！）で、昔は人間ほどの蚊が出たと言う。

大名　もし、きゃつは蚊の精ではないか。
太郎冠者　さよう仰せらるれば、羽をひろぐるように致いて、口ばしが長うなるように見えましてござる。

この観察はなかなか科学的で、蚊の姿をよく見ている。大名と太郎冠者は一計を案じて、扇であおいで風で蚊の自由を奪い、その隙にくちばしをもぎとってしまう。

これで勝負は人間の勝ち。

昔、熱心に読んだ本の一冊に坂上昭一の『ミツバチのたどったみち』(新思索社)というのがあった。

花にモンシロチョウが来て吸蜜する。同じようにミツバチも来るが、この二つの昆虫の生き方はまるで異なる。モンシロチョウは個体でしかないがミツバチの背後には社会がある。

いかにしてミツバチがあれほど周到に組織された社会生活を送るようになったか、単独で暮らすハナバチを基点にしてミツバチまでの進化の過程を推理する。

そのために札幌（さっぽろ）の北海道大学構内とブラジルでたくさんの観察を重ねるのだが、その途中に自問自答が入る。そもそも昆虫の化石は少ない。巣の化石となるともっと少ないし、まして習性や生活史そのものの化石はない。

だから彼は――

古生物学に十分なたすけをもとめられないとなると、のこったみちは一つしかない。現存する昆虫にみられる各種の生活様式を比較して、そこからミツバチのたどったあとを可能なかぎり推定するという方法である。これは現在という同一時点で空間的にバラまかれている資料を、時間系列にすりかえることである。この操作にともなう危険性は、少し意味はちがうが、文化人類学で再三問題となった。

と言う。

文化人類学云々（うんぬん）はよくわかる。辺境に住む者の生活に昔の痕跡（こんせき）があるという考えは単純な進歩史観に繋（つな）がりかねない。方言周圏論は用心深く適用しなければならない。

ともかくおもしろい本だった。中央公論社の雑誌『自然』に連載されていた時も単行本になってからもずいぶん熱心に読んだ。

(今となっては些事ながら、この当時、優れた科学啓蒙誌として知られた『自然』の編集長は岡部昭彦で、この人は北大理学部でぼくの伯母の後輩にあたる。伯母の死後にぼくも親しくなってずいぶんいろいろなことを教えてもらった。)

そしてぼくはこの科学者らしい観察と推理を辿る一方で、坂上昭一の文学趣味にも惹かれていた。なにしろ自著の扉裏にハンス・カロッサの次のような一文を引用する人なのだ――

はじめのうち私にわかっていたことといえば、その書物の表題と分量だった。表紙には『ドナウ魚族誌』と記されて頁数は五〇〇頁である。――さてかきはじめたとなると、私の知識はせいぜい六頁ばかりでつきてしまった。

自然の意味をおずおずと探るファーブル

ファーブルの『昆虫記』に初めて出会った時のことをよく覚えている。今も手元にその一冊がある(何年か前に買い直したものだが)。『世界少年少女文学全集』(創元社)の第四十七巻「動物文学集」昭和三十年七月三十一日刊行に「昆虫記」があった。訳は木村庄三郎。

この文学全集は毎月ぼくのところに届いていたから、この日付から遠くない時期に手元に来たはずだ。

キャベツ畑を守るためには、われわれは、たった一つの手段しか、持っていない。キャベツの葉っぱを、よくしらべて、指で、たまごのかたまりをひねりつぶし、足で、あおむしをふみつぶす、これがいちばん、ききめのある方法だ。

この箇所を読んだのはいつだっただろう？　印象に残った理由は明快、同じことをやった記憶があったからである。六歳まで過ごした帯広(おびひろ)の家で祖母が畑でキャベツを育てていた。祖母に言われてあおむしを退治する。ファーブルさんと違って足で踏むのではなく指先で簡単につぶせた。生きている虫をつぶすのはちょっと気が引けることだったが、おいしいキャベツが大事というのもよくわかった。世の中には必須(ひっす)の殺生もある。指先につくあおむしの体液はキャベツの匂いがした。

奥本大三郎(おくもとだいさぶろう)訳『完訳ファーブル昆虫記』（集英社）全十巻二十冊が完結した。

これは正に偉業というものだ。

文章が達意で美しく、訳注と図版が豊富、何よりも読んでいて楽しい。これは日本の読書界ぜんたいの資産と呼ぶことができる。

ファーブルの文体は厖大な観察に支えられて正確を期しながら、その一方で語り口が軟らかい。いかにも話しているような筆致でエッセーとして優れている。昆虫のふるまいを記述して、その背後にある自然の意味をおずおずと探る。臆断に走らず、疑問を提示し続け、しなやかな科学を目指す。

奥本訳そのものの完成度と正確さについては万人の認めるところだろうから贅言は避けるし、脚注や訳注というぼくの好きなものについても略すとするが、ファーブルの科学的な報告の訳のところどころに文学的な趣味が混じるのが好ましいことは指摘しておこう。

例えば、彼は第二巻下に収められた一六章「ツチハンミョウ」の訳注に、ツチハンミョウとはまったく別種の美しいハンミョウにも時には毒があると信じられていた例として、泉鏡花の『龍潭譚』を持ち出して半ページ以上を引用、この誤解について縷々と解説を施す。このあたり、奥本大三郎の精神はハチの本をハンス・カロッサの引用から始めた坂上昭一に通じるものがある。

ぼくは舘野鴻の『つちはんみょう』をきっかけに奥本訳の『昆虫記』のうちのツチハンミョウの条を丁寧に読むことにした。

ファーブルは一八五八年五月二十三日という日付でツチハンミョウの生活史についての「第一の報告」を出している。

この虫について、まずはイギリスの昆虫学者ジョージ・ニューポートによる先行する研究があった。それを大きく進めたとファーブルは誇らしげに言う。

はじめからツチハンミョウを対象に集中して観察したわけではない。スジハナバチの類が多い切り通しの崖（がけ）のあたりで、「何かハチの秘密を盗みとることができるかもしれないと思った私は、仕事中のハチをできるだけ楽に観察できるように、このおとなしいハチの群れの真ん中で、しばらくのあいだ寝そべっていた」。

その時に自分の衣服が「黄色の小さいシラミの大群」にまみれていることに気づく。シラミというのはもちろん見た目から出た比喩（ひゆ）で、それがツチハンミョウの一齢幼虫であることをファーブルは見て取る。ではこちらを観察しよう。

彼らは地面の上をあわてふためいて走りまわっているが、それはどこかに行こうとしているのであって、目指すところはカミツレなどの頭状花（とうじょうか）であるらしい。

そしてそのおびただしい数にも驚く。これはニューポートも報告していることだった。現代の生態学ではこれはr戦略とK戦略（注）という用語で知られている。たくさんの卵を産みっぱなしにしてどれかが生き延びるのを待つか、あるいは少数の卵を丁寧に育てるか。サケはr戦略であり、鳥類はK戦略と言えばわかりやすいだろう。

ツチハンミョウはr戦略の典型で、一回に四千以上の卵を産み、それを何度も繰り返す。その中から二匹が成長すれば帳尻（ちょうじり）が合うのだから、たしかにこれは大穴狙いの博奕である。

花の中で彼らは飛来する昆虫を待つ。捕らえてみるとこのあたりを飛ぶ虫の大半にツチハンミョウの幼虫がついていた。来るものかまわずともかく花から乗り移るらしい。これでカミツレなどの花は目的ではなく、「彼らにとって単なる待ち伏せの場所であること」がわかる。

では花に来るものならば何でもよいのか？

この先のファーブルの実験は本当におもしろい。観察だけでなく実験も行う。つまり積極的に昆虫のふるまいに干渉して背後に隠れた原理をあぶり出すのだ。

実験は具体的には「多少ともハチの毛に似た繊維のあるもの、たとえば私の服から切りとったラシャやビロードの切れ端や綿の玉、ハハコグサから採った綿毛の玉を使ってみた」。

しかし幼虫はだまされない。ハチに達した時はじっと動かなくなるのに、こちらでは心配そうに歩きまわっている。

（ここで「心配そうに」という副詞を添えるところがファーブルの人間性であって、だからこれは論文ではなくエッセーなのだ。エッセー、すなわちある主張を提示する試みの論という原義に戻っての典型。これのおかげで彼は広く読者を得たということができる。文学をまったく含まない報告を読むのは楽しくない。）

幼虫は何によって自分が乗った相手が生物か無生物かを判別しているのだろう。視覚でないのは明らかだし、触覚でもない。なぜなら（再び実験）死んで乾ききった昆虫の死骸に取り付いた場合でも満足して動かなくなるのだ。

残るは嗅覚ということになるが、「そうだとすると、どれほど鋭敏な嗅覚を想定しなければならないことであろうか」と彼は問う。今ならば昆虫一般の嗅覚の鋭さについてはフェロモンという用語を出せばみんな納得するけれど、この時代にはこの言葉はなかった。

ファーブルは他のところで蛾の雌が雄を惹き付ける現象のことを書いているから、あるいは気づいていたのかもしれない。

「多くの謎に、またもひとつの謎が加わったのである」というところでこの話は終わる。このテーマと再び取り組む機会はなかったらしい。

科学に少し文学が混じる

ファーブルは博物学者だろうか。

博物の博は広いという意味だ。広くモノを集めて研究する。この言葉の背景に中国文化圏でならば本草学を見て取ることもできる。こちらはもっぱら薬用を目的として始まった植物学。どちらにしても生きた生物を相手にするという印象は薄い。

ヨーロッパには自然史という言葉がある。Natural History の直訳で博物学はその意訳ということになるだろうか。自然界の姿を観察によって捉え、それを記述することを旨とする。だからフランシス・ベーコンは「自然史は記憶により記述し、自然哲学は理性によって原因を探求する」と言った。Natural Philosophy の方が分析的なのだ。

ファーブルはたしかに観察によって昆虫の生態を明らかにし、それを『昆虫記』に記述したけれど、ここでぼくが生態という言葉を使ったことでもわかるとおり、彼の仕事では生きたものを相手にするという局面が強調されており、ツチハンミョウとスジハナバチの例のように、種どうしや環境との関係を明らかにすることが多い。その意味では、彼の時代にはなかった言葉かもしれないが博物学よりはむしろ生態学の方が適合するのではないか。あるいは動物行動学（ethology）の方がファーブルにふさわしいか。

自然はあまりに広大無辺であって、その観察と記述にも果てがない。だからファーブルの偉業はまずもってその分量で対峙する者を圧倒する。なんと多くの時間がフィールドで費やされ、なんと多くの言葉がそれを書き記すために用いられたことか。

それに対して、メンデルがエンドウ豆を相手に行った簡単な実験は生物ぜんたいを貫く法則の発見に繫がった。これがベーコンが言うところの自然哲学の具体例である。

現代の天文学などではこの二つは渾然一体となっていて、巨大望遠鏡が集める厖大なデータをコンピューターを用いて解析し、宇宙の歴史や法則を導き出す。

ファーブルに話を戻せば、彼はダーウィンの進化説に反対だった。第三巻下には「進化論への一刺し」という章がある。さまざまな生態を持つハチが先祖の一種から進化によって分かれて今に至ったとは考えられない、というのが彼の主張で、そうなるとハチのすべてに最初からそれぞれの環境に応じた本能が配布されていたということになる。

ダーウィンの進化説は実際なかなか受け入れがたい。目の前にいるツチハンミョウの行動は精妙で、これが突然変異と自然選択という簡単な原理で実現するとは信じがたいのだ。その一方で本能には突発的な事態の変化に対する応用力はない（第二巻下の「昆虫の心理についての短い覚え書き」がこの件について詳しい）。ファーブルはそういう例を山ほど見ていたから種が変化するとは信じられないと考えたのだろう。

しかし生物たちにはとても長い時間が与えられていた。そして昆虫の場合、速やかに進化する条件が備わっていた。

本川達雄の『ウニはすごい　バッタもすごい』（中公新書）によれば昆虫が小さいことの利点は——

①世代交代が速いから変異の出現も多い。

②小さいと環境の変化に弱いから速やかに変異が淘汰されて、環境に合ったタイプが選別される。

③小さい分だけ行動範囲が狭く、他の集団と隔離されて優れた変異が種として定着しやすい。

④食べるものも少なくて済むのでまばらな餌でも生きられる。

だそうだ(ぼくが適宜要約した)。

だから今見るほど多くの種が出現し、かくも繁栄することができた。時間感覚の違いが進化説の理解を難しくしている。

観察を土台に絵本『つちはんみょう』を描いた舘野鴻はぼくあての私信で、「科学的な現象や状態の説明ではなくて、それを束ねている温かなものといいますか、摂理といいますか、そんなものが少し滲み出てくる絵本が描けたらいいなと思っています」と書いてきた。

その表れか、昆虫や植物を描く彼の絵にはずっと遠くに小さく畑を耕す人がいたりする。

自然は法則に従って意思なく運営されている。進化はハナカマキリのような精緻きわまる擬態を生み出すし、それはたしかに意図あっての合目的的な彼らの努力の成果と見えがちだが、それを言い出すともう創造主まではあと一歩。科学の側に留(とど)まるにはたくさんの変異を繰り出してその一つ一つを環境との適性で検証し、合ったものを残すという、ある意味では非情な科学の理論で説明しなければならない。

それでも残る我々の感情の部分を舘野は「それを束ねている温かなもの」と言ったのだろう。だからぼくたちはファーブルのように、坂上昭一のように、科学に少し文学が混じるのを好ましいことと思うのだ。

（注）rは「内的増加率」を意味し、たくさん産卵し、繁殖スピードを速くすることで絶滅可能性を引き下げる戦略。Kは「環境収容力」を意味し、少なく産み育児によって性成熟までの生存性を高めることで絶滅可能性を引き下げる戦略。

「考える」と「思う」の違い

先日、たまたま映画『ブレードランナー』（一九八二年公開）のメイキング・オブである『デンジャラス・デイズ』（二〇〇七年公開）を見る機会があって、あのカルト的傑作がどれほどの悪条件のもとに作られたかを知った。そのついでに本編も久しぶりに見て、やはり映像の美しさとプロットの見事さ、そしてハリソン・フォードやルトガー・ハウアー、ショーン・ヤングなど、俳優たちの魅力に感心した。音楽はヴァンゲリスであったことを思い出した。

今ではSF映画のスタンダードだが、公開直後はずいぶん評判が悪かったらしい。たしかに一般の観客には難解でしかないだろうし、そこをクリアするパブリシティーの努力も充分に払われなかったようだ。

話の中心にいるのは「レプリカント」である。そのまま訳せば「複製されたもの」。深宇宙など人間が働けないような過酷な環境で使役されるために作られた人間の複製、つまり人権なき奴隷である。精神的には人間と同じだから、反抗してスパルタクスのように革命を起こしたりしないよう寿命四年というリミッターが予め組み込まれている。それに不満を持つ四名（四体か）が禁を破って地球に潜入、リミッターを外すよう製作者＝創造主に要求する。

彼らは成人として出荷されるが、その段階では情緒的には白紙。しかし生活してゆくうちに次第に感情を持つようになり、やがて反抗的になる。その限界が四年ということらしい。地球に潜入した四人は自分がレプリカントであることを知っている。同じレプリカントながら初めから地上で暮らしてきた美女レイチェルはそれを知らない。彼女の幼時の記憶は実は埋め込まれたものだった。原作はフィリップ・K・ディックの『アンドロイドは電気羊の夢を見るか？』（ハヤカワ文庫SF）だから、この作家の常で、あなたは本当にあなたか？　というアイデンティティーへの疑問が根本のところにある。

アシモフのロボット三原則

「レプリカント」はロボットではない。

このところずっとAI（人工知能）のことを考えていて、その思考の範囲内ではレプリカントのことは思い浮かばなかった。それは当然で、なぜなら彼らは見るからに人間だから。ただし人間と違って彼らには残虐な場面に嫌悪感を覚える機能が実装されていないとされている。彼らを識別するにはフォークト＝カンプフ式感情移入度検査機と呼ばれる一種の嘘発見器が用いられる。

ロボットには初めから一切感情がない。

アイザック・アシモフが提案した「ロボット三原則」というのがある。簡潔に述べれば——

1　ロボットは人間に危害を加えてはならない。

2　1に違反しない範囲で、ロボットは人間の命令に従わなければならない。

3　1と2に違反しない範囲で、ロボットは自らの身を守らなくてはならない。

誰か頭のいい評論家が、これは家電製品の原則と同じだと見抜いた——

1　危なくない

2　使いやすい

3　壊れにくい

つまりロボットは家電の範囲に収まっていた。

しかしSF作家はやはり彼らに感情を与えたくなった。つまりは擬人化であって、鉄腕(てつわん)アトムはしばしば悩んだりする。アン・マキャフリーの『歌う船』（創元ＳＦ文庫）の主人公は宇宙船の身体を持つ女性だから恋もする。むしろ宇宙船という肉体をまとった女性だ。

ＡＩも同じこと、とぼくは考えていた。早い話がどんなソフトウェアを入れようが、どんなに演算が速くなり、どんなに記憶容量が増えようが、コンピューターであり、つまりは家電みたいなものだ。

ところが事態は大きく変わったと世間は言う。それら（まだ彼らとは呼びたくない）はだいぶ人間に近づいたらしい。

二〇一七年五月二十日、将棋ＡＩ「ポナンザ」が佐藤天彦(さとうあまひこ)名人を破った。これで二連勝。更に月末までには囲碁ＡＩ「アルファ碁」が世界最強とされる中国の柯潔(かけつ)九段を相手に三戦全勝。

ただ強くなっただけでなく、囲碁や将棋というものを根本的に変えつつあるというのだ。将棋用のＡＩは過去の高段者の棋譜を大量に読み込んで盤面の状況を蓄積し、それをもとに試合を進めてきた。それが足りなくなると、ＡＩ同士の対戦を何千万局と繰り返して、いわばアーカイブを増やした。そうやっているうちに人間同士の対局とはまるで違う境地に達したらしい。

それを可能にしたものとして深層学習（ディープラーニング）があるが、ここではその詳細には立ち入らない。これのおかげでコンピューターが不得手だった画像認識や音声認識の能力がぐんと増したということだけ知っておけばいい。囲碁や将棋では盤面の展開のうちの無駄な枝の刈り込みが上手になったという。そのままでは発散してしまう指し手を収束に向けられるようになった。

AIによる作曲は聴くに堪える？

画像認識の初歩的な例としてここで思い出すのがカメラのオートフォーカスだ。カメラの自動化は露出から始まった。レンズに入る光量をセレンなど受光素子を用いた露出計で計測し、それに応じた絞りとシャッター速度をカメラが決める。

当時、ずいぶん便利になったけれどフォーカスは人間の眼でしかできないだろう、とぼくは考えた。どこかで機械を見下していたのだ。しかし画像認識でフォーカスも自動化され、更には撮影者の意図を先取りして画面のどこをシャープに撮るかを決めてくれる。被写体がいちばんいい顔になった瞬間にシャッターを切るようなことまでする。つまり人間が判断する領域に踏み込んでくる。なめられたものだといささか腹立たしい。

この技術は我々の生活をずいぶん変えた。写真を撮るという行為がぐんと軽くなった。今では誰もがスマホで目の前の料理を撮って互いに交換している。それが一種の自己表現になっている。食べるものが人を決める、という『美味礼讃』の著者ブリア＝サヴァランの言葉がこんな形で実現している。つまり、人と人のコミュニケーションのありかたが以前とは違うものになった。だから何なんだ、という気もするけれど。

だが、実際には囲碁や将棋は人間の知的活動の中で最もＡＩが扱いやすいもの、ＡＩの特性になじむものだ。カメラはもっと簡単。他の分野に行けばどうなるか。

ぼくは小林雅一（こばやしまさかず）の『ＡＩの衝撃――人工知能は人類の敵か』（講談社現代新書）を参考にしながらこの原稿を書いているのだが、この中でいちばんおもしろかったのは作曲の話だった。

ここでも囲碁や将棋の場合と同じくＡＩは過去の成果をまず学ぶ、あるいは取り込む。アメリカでデビッド・コープという人物がＥＭＩ、すなわち「音楽知性の実験」というプログラムを作った（エミーと呼ばれる）。

ＡＩにゼロから作曲をさせてみたら聴くに堪えないものしかできなかった。だからサンプリングを土台にすることにしてバッハの讃美歌（さんびか）を三百曲ほど取り込み、特徴を抽出し、それらの組み替えで曲らしいものを作らせた。しかしあまりに印象が薄いものしかできなかったので、更にランダムに乱す仕掛けを組み込んだ。「エミーは小一時間の間に、バッハの作品とよく似た合唱曲を５０００曲も」作ったという。コープはそれを聴いてましなものを選び出した。その後のブラインド・テストでは「多数の音楽愛好家がエミーの作品をバッハと勘違いした」とある。やれやれ。

エミーの「ヴィヴァルディ」を一見して、いや一聴してみて、それらしいけれども単純な反復にぼくはすぐ飽きた。バッハのコラールはもう少しよいか。

ぼくの友人である作曲家の池辺晋一郎に「エンカティンメント」という混声合唱の作品がある。アカペラのスキャットで二十分ほどひたすら演歌っぽいメロディーのメドレーを続ける。もちろん彼は冗談ないしパロディーとしてやっているのであって、あんな単純なメロディーがいかに日本人の情緒をくすぐるかを承知の上で、見事にくすぐってくれるのだ。

問題は成果ではなく意図のあるなしだ。エミーはバッハもどきを作るかもしれないが、しかしエミーにはバッハもどきを作ろうという意思はない。意思は人間であるデビッド・コープに属するものだ。そしてその成果は創作ではなく、せいぜい再利用にすぎない。エミーはバッハもヴィヴァルディもヴェルディもヴァンゲリスも武満徹も生まない。聴いていて気持ちがいいと思うこともあるけれど、何回も繰り返して聴きたいというものではない。BGMならば使えるかもしれないというレベル。

ではバッハほどの傑出した才能を持たない作曲家と比べたらどうだろう？　本当のところ、作曲とはどういうことなのか？　AIの作曲の出番はないのか。

人間はみながみなそんなに創造的な仕事をしているわけではない。才能は偏在している。グラフィック・デザインで言えば、亀倉雄策の一九六四年東京五輪のポスターは傑出していたし、今ならばぼくは街頭で出会う寄藤文平のポスターに感心する。しかし、世のグラフィック・デザイナーの大半はスーパーの安売りの折り込み広告を作っているのだ。その人たちを貶めるつもりは毛頭ないけれど、社会はそういう風にできている。そこがＡＩによって置き換えられてゆくとすれば、社会は大きく変わるだろう。

ディストピアは現実のもの

実はこの種の変化を我々はいくつも体験してきた。そのたびに職を奪われる人々が生じた。今の社会には駕籠を担ぐ人や（観光目的を別とすれば）人力車を引く人はいない。同じように天文学や暗号解読のために厖大な計算を担当する人たちはいない。書家はいても筆耕や写字生、文選工・植字工はもういない。

産業革命で動力が使えるようになって、その制御の技術も進んで、人間は単純な筋肉労働から解放されるはずだった。知力のある人間を馬のように筋力源として用いるのはもったいない、という考えが社会を変えるはずだった。

今、同じようにして、知的な労働でも単純な反復に近いものはコンピューターに任せられるようになってきた。天文学の計算がいい例だが、その範囲がどんどん広まっている。気象シミュレーションにはスーパーコンピューターが用いられる。計算そのものは人の手でもできるとしても、実際には千人がかりで百年とかかかるわけで、気象の予報として意味がなくなってしまう。

前記の『AIの衝撃』には「今後10~20年の間に米国の雇用の47%が、コンピュータやロボットに職を奪われる危険性が高い」とあり、以下のような職業は人の手を離れるという――

電話による販売員/データ入力/銀行の融資担当者/金融機関などの窓口係/簿記・会計監査/小売店などのレジ係/料理人/給仕/タクシー運転手/理髪業者

給仕について言えばタブレット注文のレストランはあるし、回転寿司(ずし)を考えれば料理の運搬も自動化が可能だろう。高級な店はともかく簡便なところではそういう流れになるかもしれない。

回転寿司と言えばしゃりを握るロボットは実用化されている。ではガスレンジの前で鍋(なべ)を振って炒飯(チャーハン)を作るロボットは可能か? 全自動牛丼屋は? もともとが工場生産で冷蔵運送再加熱なのだから、AIを応用してきめの細かい客あしらいを実現すればいいだけの話。

一九五〇年代のアメリカにはすでにドーナツ自動製造器があった。ぼくは『ゆかいなホーマーくん』（ロバート・マックロスキー著、岩波少年文庫）というジュブナイルの小説でそれを知って感心したものだ。無人ラーメン屋はあれの延長上にある。ホーマーくんの話では機械は故障してとんでもない数のドーナツが作られるのだけれど。

AIとロボットで人が単純労働から解放されるのはいいとしても、それによって生まれた余暇は平等には分配されない。みなが午前中だけ働いて午後は趣味で過ごすということにはならない。かつてラッダイト運動が予想したとおり、一方に失業者、他方に過労者が増えるだけなのだ。多くの人が職場から追われ、残った者は失業が怖くて必死で働く。AIは雇用する側のみに恩恵を施す。このディストピアはAIの普及を待つまでもなくすでに現実である。

AIの目前の脅威はそれを独占的に用いる人間、すなわち権力者の横暴にある。今ならば大企業、国家、あるいはGAFA（ガーファ）（グーグル、アップル、フェイスブック、アマゾン）のような超国家資本。

インターネットを用いて個人の行動についての情報を集め、ビッグデータを構築する。これをAIで解析して個人あての強力な広告を作って送り込む。ほとんど狙撃（そげき）というに近い。それを一億人向けに行うのも容易で、流行という雪崩（なだれ）現象は簡単に作り出される。人間は真似る生き物だから好みの偏在は速やかに増幅され得る。

選挙でも同じ手法が用いられるとすれば、その結果ははたして民主主義と呼べるかどうか。


我々と敵対する存在か?


だが、これは人間の倫理的・政治的な能力の問題であって、AIはそれを拡大しているにすぎない。AIと人間の関係について人々が危惧(きぐ)しているのは、彼らが我々と正面から敵対することになるのではないかということだ。

またSF映画の話。

『ターミネーター』(一九八四年公開)でサラを殺しに未来から送り込まれるのはロボットである。あの不死身のシュワちゃんが受けているのは命令(オーダー)ではなく指令(コマンド)、担うのはジョブではなくタスク、そういうレベルの単純仕事だ。彼はそれを自律的に律儀に実行するにすぎない。そのコマンドを出したのは「スカイネット」と呼ばれる「自我を持ったコンピューター」である。自己の生存を最優先課題として働くもので、人間は自分にとって脅威だと思っている。

では自我とは何か?

まずは個であることの認識、他者と己の区別。世界はシームレスに広がっているのではなく自と他の間には境界があると認識すること。

生命の基本形は水中に浮かぶ液滴である。そのままでは希釈されて消えてしまうから、この液滴は膜で包まれている。中と外の区別がある。この構造が代謝によって維持され、やがては生殖など他の機能を得ることになる。

しかし基本は個であり、常に自己保存を図るものが生命である。そして、そのために外界に向けて働きかけようとする内的な促しが「意思」と呼ばれる。

囲碁AIのことを考えてみよう。それ（彼でも彼女でもない）は対局ができる。だが人間がスイッチを入れるから囲碁をするのであって、しようと「思って」ではない。人間はいつでも「アルファ碁」のスイッチを切ることができる。「アルファ碁」はそれに腹を立てたりはしない。ロボット三原則の2は守られている。

英語の think という単語は日本語では「考える」と「思う」の二つに訳し分けられる。違いは主体のあるなしだ。AIは「考える」ことはできるが「思う」ことはできない、とぼくは考えてきた。

どこまで演算速度が速くなって、記憶装置が大きくなって、深層学習で扱える範囲が広くなろうと、それと自我の意識はまったく別のものと思ってきた。

だが、ここで「創発」という言葉を持ち出さなければならない。

渡り鳥や小魚は群れとしてふるまう。動画で見ると複雑きわまるが、しかしあれはたった二つの原理から成っている——

１　周囲の個体と同じ方に動く
２　互いの間の距離を保つ

これに沿って、また外乱に応じて、その場その場で動きを形成すればあの群れ行動になる。外乱は鮫かもしれないし、地磁気による目的地の定位かもしれない。ともかく群れは最適のふるまいができるのだ。

創発はもともとは複雑系の研究者が言い出した言葉で、内発的な秩序の発生である。単純な規則から複雑で人間から見て有意な結果が生じる。

その場合の構成要素は元素レベルや分子でもいい。結晶は好例であり、岩石の縞模様とか、沙漠の砂丘などもそれにあたる。

大脳生理学を復習しよう。

脳の基本単位はニューロン（神経細胞）である。中心となる細胞体から一本の軸索が伸びて他のニューロンに達している。また細胞体には樹状突起があって他のニューロンからの軸索を受けている。こちらの方は複数が普通。接合部分はシナプスと呼ばれ、イオンの出入りによる信号の伝達が行われる。他からの信号が多く入るとニュー

角川ソフィア文庫 1月新刊

漢文の語法

西田太一郎

「これに勝る教科書なし」との声も高い名著、待望の復刊！　校訂・解説でさらに充実。

定価1、782円 978-4-04-400634-1

菅江真澄　図絵の旅

菅江真澄

近世の東北、北海道を歩いた漂泊の旅人。森羅万象を描いた貴重なカラー図絵112点収録。

定価1、650円 978-4-04-400679-2

私たちの想像力は資本主義を超えるか

大澤真幸

資本主義はなぜ終わらない？　社会現象となった作品分析を通して〝その先〟を考える白熱講義！

定価1、364円 978-4-04-400734-8

科学する心

池澤夏樹

科学とは、五感をもって自然に向き合う姿勢ではなかったか。随筆13篇。解説・中村桂子

定価1、100円 978-4-04-400722-5

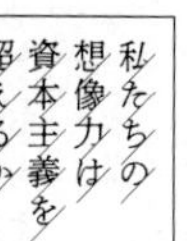

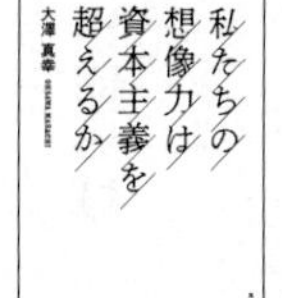

ロンは活発化し、軸索を通じて次のニューロンに信号を送る。頻繁に信号が通る経路は強化される。

ニューロンはそう複雑なものではない。電子工学的には一つの素子と呼んでいい。それが集まると意識までが生じる。その数は一千億。シナプスを数えれば百五十兆。たしかに多い。この数に対して創発が適用されると機能の飛躍が起きるのだろうか。それが自我を生むのか。同じことが進んだＡＩで起こるとしたら、それがＡＩの自我の目覚めになるのかもしれない。

その一方、個体の限定性はどうなるのだろう？　一千億のニューロンから伸びる軸索は長いものでは数十センチになるが、すべては一個の身体の中に収まっている。他の個体とのやりとりは視覚やフェロモンや接触や言語や暴力によるものであり、それらは神経系にコントロールされているが直結はできない。そこには個体の皮膚というものがあって、自我や意識は外には出られない。

ＡＩにはこの限界はない。

対局に勝った囲碁ソフトに自分が勝ったという喜びはないだろう、自分がないのだから。スイッチを入れないかぎり対局は始まらない。対局をしたいという「思い」が生じることはない。自我がないとはそういうことだ。

AIに自我はあるか?

もう一本のSF映画を思い出そう。スタンリー・キューブリックの『2001年宇宙の旅』(一九六八年公開)。

あの中で木星に向かうディスカバリー号を統御しているのは「HAL9000」と呼ばれるコンピューターである。船内にセンサーを張り巡らせ、地球と交信し、他の天体を観測し、乗組員とは英語で会話する。

しかし彼は(声を出す以上、どうしてもこう呼びたくなる)、覚醒して活動を始めた乗組員二人を通信ユニットの故障を偽造して船外活動に誘い出した上で、深宇宙に放逐する。その間に人工冬眠中の乗組員三名の生命維持装置を切って殺す。ロボット三原則1への明らかな違反。

放り出された二人の一方、ボーマン船長が強引に船内に戻って対決する。

そこで明らかになるのはHALが地球出発前に与えられたコマンドに矛盾があったという事実だ。乗組員と協力して任務を遂行しなければならないが、しかし任務の内容は秘密で、乗組員に明かしてはならない。任務そのものは自分だけで遂行できると彼は判断し、障害となりそうな乗組員の排除を実行する。ロボット三原則は彼を縛らなかった(この解釈の問題点は、それならばボーマンたち二人が起きてくる前に彼らの生命維持装置を切ってしまえばよかったというところだが、それではそもそもこの映画は成立しない)。

さて、HALというAIには自我はあるだろうか? はじめぼくは、これは人間とのコミュニケーションのために実装された架空人格ではないかと考えていた。

それがディスカバリー号という深宇宙で孤立して航行する船と一体化して個体の印象を強める。地球ははるかに(電波の往復に一時間二十分かかる)遠いから、HALは大きなネットワークの一部ではない。

しかし、船内に戻ったボーマンが彼の思考の中枢であるユニットを抜いてゆくと、彼は「私は怖い。デイヴ、デイヴ、私は怖い」と呟く。やがて退行して、生まれた直後にチャンドラ博士に教えられた「デイジー・ベル」という童謡を歌い始める。ボーマンは彼にロボトミー(前頭葉切除手術)を施したのだろう。

「私は怖い」と言ったところで彼に自我があったことが証明されたと言ってよい。

パスカルのあの言葉は日本語では別の訳が可能だ――

人間は一本の葦にすぎないが、しかしそれは思う葦である。

「考える」ことはＡＩにもできるが、「思う」ことは今のところ人間にしかできない。

主観の反逆、あるいは我が作品の中の反科学

この章で自分が何を書こうとしているのか、まだよくわからない。目的地を確定しないまま船を出そうとしている。しかし、ともかく一度はこの港を出なければならないらしい。

現代では科学は権威である。

ある意見や報告に対して非科学的だという評価はほとんど全否定に近い。科学は客観的であり、万民が認める基準に拠る世界の骨格であり、それ以外はあってもいいけれどせいぜい贅肉とされる。

たしかに科学は権威となるべく努力を重ねてきた。実験結果は必ず他者によって追試されなければならないし、仮説は必ず多くの反論を乗り越えて広く認められなければならない。そういう成果が積み重なって科学という体系になる。科学は継承可能だからどんどん大きくなり、今では巨大な建築物のように見える。

我々の日常生活は科学と技術によって包囲されている。たった今、あなたの視野に純粋に自然に由来するものが見えるか？　聞こえるか？　匂いとして漂っているか？

日々の暮らしの場を敢えて離れなければ自然界と接することはできない。そのために山に登り、海辺に遊ぶ。都会では星を見るのさえ容易でないのだ。

それ以上に、我々は自然を科学の対象として見るばかりで、それをすっかり科学者に委ねてしまった結果、個人に属するものとしての自然を喪失した。植物を例に取れば、庭の隅やプランターの中に押し込めてしまった。

それを嘆くのではなく、ちまちまと隅をつつくのではなく、自己という存在をもっと大きなフレームの中で取り戻すことはできないか。ぼくは『スティル・ライフ』（中公文庫）という小説の中で「大事なのは……外の世界と、きみの中にある広い世界との間に連絡をつけること、……たとえば、星を見るとかして。」と書いた。

休眠状態に置かれた五感を復帰させる。それに合わせて世界を再構築する。個人単位ではなく（それでは趣味の登山とプランターになってしまうから）、人間ぜんたいの立つ位置を本来の場所に戻す。人間を含む世界像から世界に働きかける。能動的な関与を目指す。動物たちを絶滅に追い込むのではなく、彼らの間に回帰する。そうしたいという衝動ははたして原始的だろうか。ぼくはこれを反科学の勧めとして考えたいのだが。

科学は自然を観察し、そこから法則を導き出す。それに対して個人は五感によって自然から何かを引き出す。それは一人のものであって、当人の心の中から外部へ持ち出すことができない。食べたものがその人の栄養にしかならないように（唯一の例外は母乳だが、と書きながら、こういう論の進めかたがすでに科学的すぎるだろうとも思う）、感覚で得たものはその人の魂を養うばかりだ。まずはこの事実を積極的に評価しよう。

しかし、五感によって自然から得たものを共有することで運営されてきた共同体もある。人間から自然へ還流されるものもあった。いや、かつてはそちらの方があたりまえのことだった。

自然と超自然の境界はない

デイヴィッド・エイブラムの『感応の呪文』（論創社・水声社、結城正美訳）という本を読み始めてすぐ、次のような文に出会った――

伝統的ないし部族のシャーマンは人間の共同体とそれを包含する生態系を媒介する、ということが私に徐々にわかってきた。シャーマンのはたらきが明らかにしているのは、滋養の流れというものが風景から人間へという一方向でなく、人間の共同体から大地へ返されるということである。儀式、トランス状態、恍惚的脱自、そして「旅（ジャーニー）」とよばれる状態をとおして、シャーマンは、人間社会とそれを包含するより大きな社会との関係のバランスと相互交流を保ち、集落が大地からもらった分だけ返す——物質的な意味だけでなく、祈禱や慰撫や賞賛をとおして——ようにしているのである。

この著者は手品師出身（！）という特異な文化人類学者で、アジアの田舎に赴いて手品を媒介に地元の呪術師と親しくなるという方法によって人間本来の自然観を探究してきた。

おもしろいと思ったのは、呪術を論じているくせに彼が「超自然」という言葉を認めないことだ。見える自然があってその背後に見えない超自然があるのではない。それはまだ自然界すべてを神の被造物とするキリスト教の見かたに縛られているためであって、その自然からは驚異や畏怖は除外されている。その部分だけを別枠に入れて超の字を付す。しかし本来ならば自然はそのまま超自然を含んでいる。両者の間に境界はない。

もう少し引用しよう——

真に土着の口承文化では、感覚的な世界それ自体が神々の棲み処であり、人間の生の営みを養いもすれば滅ぼしもする霊的な力の棲み処であり続ける。シャーマンが生命や健康を提供するものと接触するためには、自分の気づきを自然界の外に送るのでも、自分個人の精神状態に向けて旅をするのでもなく、気づきを横方向に、感応的であると同時に心理的な風景の奥行きに向かって、空高く舞う鷹や蜘蛛や固い表面を静かに苔に覆われている石と共有する夢に向かって、外へ外へと進ませることが求められる。

このあたりまで読んでぼくはこの本に本格的に引き込まれた。これは書評ではないから全体を要約はしないし評価もしない。これをきっかけとして自分の中で眠っていた考えを改めて精査してみたいのだ。

(後に請われてこの本のオビに載せる短い文を書いたから、それがごく短い書評ないし紹介になるかもしれない——「人間を中心に置いた世界図ではなく、人間も織り込んだ正しい世界図の回復のためにこの本は役に立つ。」)

読み進んでゆくと、彼がバリ島に行った時にチャナンを見たという記述に出会って、なんとも懐かしい思いに駆られた。彼の地のものとして寺院の入口などの割れ門(split gateway)も思い出された。ナシゴレンやブブール・アヤムの味が舌の上によみがえった。

チャナンというのはバリの女性たちが毎日作って家の敷地のあちこちに置くお供えである。バリは人間よりたくさんの神々が住まうような土地で、彼らへの敬意の表明は日々の生活の安定のために必須の営みだ。

実際には椰子の葉を折って編んで作った四角いお盆で、これに色とりどりの花と少しのお米を載せて、高級な神や下級の神に捧げる。バリ島にいれば毎朝いやでも目に入る光景だ。

土着文化における精霊とは？

こう書きながらぼくはバリの朝のあの爽やかな空気の匂いを思い出している。それと同時に頻繁に通っていた頃の自分の心象をも思い出している。あの時期のあの自分にだけ与えられた一回的なものであり、再訪して得られるものではない。再現不能という意味で正に科学から最も遠いところにある。主観とはそういうものだ。

（そして、こういう記憶、こういう感覚の体験に比べると、科学がなんとよそよそしく見えることか。まして現代のテクノロジーとなると生活の便利を求めて生活の喜びを失うものでしかないのに、その詐術に人は気づかない。

サンテグジュペリの『星の王子さま』で、地球に来た王子さまは薬を売っている男に出会う。それは喉の渇きを抑える薬で、一粒服用すると一週間は水を飲まないで済むという。それで週に五十三分が節約できるのだそうだ。そう聞いて王子さまは思うのだ――「ぼくだったらその五十三分を、泉の方にゆっくりぶらぶら歩いて行くのに使うな」と。)

バリ島でデイヴィッド・エイブラムはチャナンの米をアリが運んでゆくのを見て、まずこれはアリへの供物だと(科学的に)考えた。家の中にアリが入ってくるのを防ぐための予防策。蚊取り線香の効用を語るのと同じくらい合理の説明だ。しかしこの家の女主人はチャナンは家の精霊への贈り物だと言う。この言葉に導かれて彼は、「土着文化における精霊が人間の形をとらない知性や気づきの様態であることを」知る。そして、自分が五感で得ているものを他の生き物も別のやりかたで得ているという類推から、アオヘビやカミツキガメやハチドリやゴムノキの生きる実感を「わかる」に至る。

その先では言葉の問題を考えざるを得ない。

一般に言葉は人間にのみ属するとされている。チンパンジーでさえ喋(しゃべ)らない。咽喉(いんこう)の形態からして不可能なのだ。しかしそれは文法的に整備され多くの語彙(ごい)を擁した現代の言語のことであって、始まりのところでは言葉はまず声であり音であった。その側面は今も失われていないし、日常の場を常に満たしている。小鳥のさえずりや鯨の歌と、言語以前の我々の発声は実は同じものだ。我々は自然界のすべての音を声として聴くことができる。すべて音には意味がある。

逆に言葉の中には自然界に通じる音としての響きが常にある。先日、ぼくは和泉式部の「もの思へば澤の蛍もわが身よりあくがれいづる魂かとぞ見る」という和歌の仏訳と英訳について音感をもとにした論を試みた。仏訳も英訳も「澤」を「沼」のように（maraisとmarsh）訳している。しかしここでは澤は「小川」なのではないか。

ぼくの語感では「澤」は「せせらぎ」に近い。この語に含まれるsの音がこの連想を誘うのだろうし（「さらさら」と「さわやか」で「すずしげ」なのだ）、実際に自分が見た蛍がどれも清流のほとりを飛んでいたという体験もそれを裏付けている。

言葉の響きは主観で受け取られる。かつて憲法という名称の響きが硬すぎると書いたことがある。これが「のんぽう」や「ゆんぽう」だったらずっと生活に近いものに思われたのに。逆に余震という言葉が柔らかすぎるとも言った。あれは残震とか続震とか、濁音を含んで人に強く迫らなければいけない言葉だ。

耳で聞く言葉は生理であり、生理は自然に属する。声の響きだけでなく、文字さえも自然の一面を持っている。自然の形象に似ているから「草」書と呼ばれる書体がある。風に揺れる草であり、流れる水にあたる日のきらめきであり、砂の上を這った蛇の跡である。そう見えることを理想として草書は書かれる。あるいは描かれる。

言語は一方では人と人を繋いで共有の知をもたらすが、もう一方では人を自然に返しもする。だから人は歌うのだ。

エイブラムはこの先でモーリス・メルロ゠ポンティの『知覚の現象学』を援用して精緻（せいち）な論を展開しているが、今はそこは措（お）くとしよう。

主観と客観の交歓のような現象

バリ島に話を戻したい。

ぼくがあの島に通ったのは『花を運ぶ妹』（文春文庫）という長篇を書くためだった。

はじめのうち、バリ島はこの話の舞台というつもりだったけれど、書いているうちにむしろ実は島が主役なのではないかと思うようになった。電気製品ではなくチャナンや割れ門などが人間の生活と思想を導く世界。ぼくは話の展開に次第に追いつめられて、身につけていたはずの科学の論理を捨てざるを得ない自分に気づいた。

あらすじを述べれば、家族からテッチと呼ばれている画家がいる。本名は哲郎。彼はタイで出会ったドイツ人女性からヘロインが創作に効果があると聞いて、出来心で試し、中毒になる。一度は抜けたのに、バリ島に行ってまた嵌（はま）る。そこで逮捕され、功を焦る現地の警察署長の奸計（かんけい）によって運び屋に仕立てられ裁判にかけられる。最悪の場合は死刑。

この報(しら)せを受けて妹のカヲルが救援に向かう。彼女はパリの旅行代理店で働いていたのだが、バリに来ては戸惑うばかり。現地の事情に詳しい日本のフィクサーから弁護士を紹介してもらっても、ものごとの進みかたがバリと日本やヨーロッパとではまるで違う。社会の仕組みが違う。こんな野蛮なところと思って憤慨し、やがて無力感に陥る。

バリは科学の合理主義が通用しないところだ。平板な形式論理を超えて奥行きがある世界。しかしカヲルにはそれが理解できない。日々のチャナンの意義がわからない。兄と自分が得体の知れない陰謀に取り囲まれているように思い、心が闇の中に沈んでゆくように感じる。

何をやっても打開の途(みち)を得られないうちに、切羽詰まった彼女はふらりと外に出て、ウルワトゥの崖(がけ)の上から下の海を見る。寄せては砕けて白く広がる波が見える——

> わたしが目を離せなくなったのは、そのゆったりとしたリズムに捕まったからでした。波が寄せてきて水面がふわっと盛り上がるところから、崩れて広がって、引いていくまで、海は自分が決めた速さで同じことを悠然と繰り返していました。盛り上がるところでは海がわたしの方に少し近づいてくるみたいですし、巻き込むときは潮のにおいが強くなる。白い泡が広がる時にはさわさわという音が

聞こえるようでした。実際には海面は相当に遠いので音は聞こえません。でも、水面のわずかな起伏に沿って泡沫が薄い紗かなにかを広げるように四方八方へ散ってゆくときには、サーッという音が聞こえそうな気がする。海から吹き上げる風がわたしの短い髪をかきまわします。わたしは全身で、本気になって、下の海と対決しました。……（中略）

自分の中で何かが変わったような気がしました。わたしはまだ海を見ています。……（中略）こわばっていた精神がほぐれる。わたしの心が海に合わせてのろのろと踊りはじめる。もつれていたものがほどけて、その間を風が抜ける。身体の中を風が吹き抜ける。

問題はこの先だ。

「ここでわたしが変われば、全体が変わるのかもしれない。ことの流れが変わるのかもしれない」とカヲルは考える。自分が主観としてバリを受け入れれば、客観としての状況が変わる。これは科学の論理ではない。いわば主観と客観の交歓のような現象を期待する。交換ではなく交歓。

ウルワトゥの波に促されて彼女は変わった。そこから宿へ戻る時――

畑の横を車は走りました。腰をかがめて何か農作業をしていた女の人がふっと身を起こして、こちらを見て、なんとわたしに手を振ったのです。彼女にすればなにげないことだったのでしょうが、わたしはそれだけで胸に何かがあふれてきて、嬉しくて、どうしていいかわからなくなりました。彼女の姿は一瞬の間に見えなくなりましたが、わたしはずっとその姿を思い浮かべて、車のガラス窓の内側で小さく手を振りつづけました。

涙が出てくる。小さなコップに水道の水を細く絞って少しずつ注ぎ込むみたいに、涙の水位がじわっと上がってきて、目のふちからこぼれそうになる。ああ、わたしは嬉しい。

この小説の中では実際に客観状況が変わり、最終的にテッチは救出される。こういう展開でいいのか、ぼくは執筆しながらずいぶん考えた。これは安易な解決、手抜きのハッピー・エンディングではないか。ギリシャ人が言うデウス・エクス・マキナ、混乱した芝居を強引に終わらせるために舞台の上から機械仕掛けで吊られて降りてくる神ではないのか。

もちろんテッチの救出を幸運な偶然とすることもできる。非常に多くの事象を対象とすれば、ことは大数の法則に従って平均値に落ち着く。しかしそこには必ず局所的な偏りがあって、人はそれにすがるのだ。だから「椿姫」の第二幕で絶望のアルフレードは賭博に大勝ちして、その金をヴィオレッタに叩きつける。賭博をする人は「つき」ということがあるのを信じており、しばしばそれに騙される。途中まで誘われて最後に突き放される。

あるいは、多次元の時間を考えてみようか。時間は常に分岐している。主観は時としてそのスイッチングを左右する。テッチが死刑になる世界から彼が放免される世界への運命の転轍機をカヲルは動かした。彼が救われない別の世界もまたどこかに存在したはずだ。無数に分かれゆく事象のカスケードとしての宇宙。

おまえ自身の世界を取り戻すこと

思えば、ぼくは作品ごとにこの問題を考えてきた。

ミステリは客観だけから成る。アリバイは現実的な論理で崩されなければならない。そうでないとホラー小説か神秘小説になってしまう。自作の例で言えば、『アトミック・ボックス』は徹底して科学であり、物質世界で完結する世俗の物語である。主人公の美汐が何を望もうと何を祈ろうと、それが彼女や周囲の人々の運命を変えることはない。彼女は知力と筋力だけで窮地から脱しなければならない。

「アップリンク」という短篇には神秘主義があった。小さな島で強い西風が止まらない。船が接岸できず、生活物資が届かないので島民は困っている。飛行機で島に渡った気象観測装置のメインテナンス要員が島の女に誘われて床を共にする。それは恋愛ではなく情事でもなく、まったく感情を伴わない性交。この島の霊的な制度の中に、外の男と島の女の性交を通じて神々へ願いを伝えるという条項があるらしい。それによって風を止める。イザナギとイザナミの場合のような目的の明らかな性交。これは物理的体系と霊的体系の間の回路を開くことであり、だからタイトルもアップリンクなのだ。地上から人工衛星へ、人間から神々へのデータ通信。主観による客観の操作ではない。

『マシアス・ギリの失脚』（新潮文庫）はぼくなりにマジック・リアリズムを目指した。ストーリーの中でいろいろと不思議なことは起こるけれど、それもまた世俗の世界と霊的な世界の間の行き来に由来するものであって、主観と客観の相互作用ではない。エメリアナは初めから霊界の使者としてマシアス大統領の前に現れる。彼女を通じてマシアスはこの現実と並行して霊の世界があることをゆっくりと認識し、受容し、幸福な死を迎える。彼の願いが神々に受け入れられるだけであって、願いが世界を変えるのではない。

『静かな大地』（朝日文庫）は歴史小説だから事実の改変は許されない。その点はミステリに似たリアリズム。主人公の宗形三郎が熊の神キムンカムイに会う場面は幻想的だが、これもまた霊的な世界との行き来であり、主観と客観にまつわる話ではなかった。

こうやって改めて精査してみると、ぼくが本当に霊力の介入という問題に取り組んだのは『花を運ぶ妹』だけであるらしい。若い頃の科学のトレーニングはけっこう深く身に染みついて、心の自由な動きを縛ろうとする。そこを抜け出てもう少し自在の境地に遊ぶことはできないか。

宮澤賢治（みやざわけんじ）は「新しい時代のコペルニクスよ／余（あま）りに重苦しい重力の法則（ほうそく）から／この銀河系統（ぎんがけいとう）を解（と）き放（はな）て」と詩の中で訴えた（「生徒諸君に寄せる」）。そう、科学に背を向けたい時があるのだ。

機械的な客観化を抑えて外界を主観の目で見ること。おまえ自身の世界を取り戻すこと。

ハンノキの葉が一枚、風に飛ばされ、潮とともに流れている。葉は、水面を漂いながら、波立つ表面から水中をじっと見つめている青いサギのすらりとした脚にぶつかり、そしてまた漂い続ける。サギは片足を水から出し、一歩踏み出す。それを見ながら、私も沈黙の広がりの中に引き込まれる。ゆっくりと雲の層が近づき、膨らんで波のようにうねる感じを大地の上にすべらせ、サギやハンノキや凝視する私の身体を、呼吸する大きな存在の深みへ包み込み、私たちすべてを共通の肉の内部に、今は雨でずぶ濡れの共通の物語のなかに抱き取ってゆく。

これはエイブラムの『感応の呪文』の最後の一文である。彼はハンノキやサギから成る世界を記述しながら、客観的な視点を捨ててそちらの側に参加しようとしている。読者は彼に続いて「雨でずぶ濡れの共通の物語」に渡ることができるだろうか。

パタゴニア紀行

二〇一七年の年末から年始にかけて南米大陸の南端パタゴニア地方を旅した。ほぼ南緯四十度から南、アルゼンチンとチリに跨る地域である。

ずいぶん前から行きたいと思っていてようやく実現したのだが、このあたりをまったく知らなかったわけではない。

二〇〇九年の二月に南極半島へのクルーズに参加してウスアイアまで戻った後、ビーグル海峡を渡ってチリ領のナバリノ島へ入り、プエルト・トロという世界最南端の村に行った。もっと南には荒れ狂うホーン岬と難船の記録がひしめくドレイク海峡があって、その千キロほど先に南極大陸がある。

ウスアイアはフエゴ島の南岸に位置している。広い意味ではパタゴニアに属するけれど、この時は端っこをかすめたにすぎなかった。

今回は本気で踏破を目指した。具体的に言えば、十二月の二十六日にブエノスアイレスに入り、翌日の飛行機でリオ・ガジェゴスに到着。ここからがパタゴニアである。

以下は地名の羅列になるので地図を見ていただきたい。

リオ・ガジェゴスから南に向かって、モンテ・アイモンド国境でチリに入り、その

先でマジェラン海峡を見た。大西洋から太平洋までおよそ六百キロ。幅は最も狭いところで三キロ、対岸がフエゴ島である。

海峡を左に見て西に進み、その先で南下してプンタ・アレナスに至る（この道は「世界の果て街道 Ruta del Fin del Mundo」と名付けられている）。チリはこの港町を世界最南端の都会と誇る。アルゼンチンに属するウスアイアはここより南だが人口は半分以下。都会とは呼べないとチリは言いたいのだろう。この二国はなにかといがみあう。アルゼンチンが無謀にもイギリスと戦争をした時（一九八二年のフォークランド戦争、アルゼンチン側の呼称ではマルビナス戦争）、チリはけっこう意地悪くアルゼンチンの足を引っ張った。

近代兵器の見本市のようなこの小さな戦争はイギリスの勝利に終わった。しかし戦意においてはアルゼンチンも負けていなかったことを証するために、リオ・ガジェゴスには「マルビナス戦争博物館」がある。大きめの民家くらいの建物に飛行機や艦船の模型が並び、その他さまざまな遺物や軍人を顕彰する展示がある。靖国(やすくに)神社の遊就(ゆうしゅう)館(かん)のミニチュア版のよう。

プンタ・アレナスではビクトリア号という船の原寸大レプリカを見た。マジェランの世界一周航海に参加した五隻の帆船の中で唯一スペインまで帰ることができた船だ。その後は北上、ドロテア国境でまたアルゼンチンに戻った。

大きなアルヘンティーノ湖を右に見ながら観光の町であるエル・カラファテに到着。ここでの目的は更に百キロほど西にあるペリト・モレノ氷河を見ることだ。

これを達成した後、更に北のエル・チャルテンに向かい、チャルテン（別名フィッツロイ）という名峰に拝謁。チャルテンはサンテグジュペリが『星の王子さま』の中で「からからに乾いてて、やたらとんがってて、ざらざらの塩みたい」と書いた山のモデルかもしれない（彼がパタゴニアの地に親(ちか)しかったことは後に述べる）。

ここから東に戻り、途中の景物を見ながらゴベルナドール・グレゴーレスに至って数泊。

更に大西洋岸のプエルト・サンフリアンへ移動。マジェランの船団のうち、サンタクルス川で難破したサンチャゴ号の遺物である木材を拝んだ（実際、キリストの十字架の破片か仏舎利のような扱いなのだ）。最後はずっと北のコモドロ・リバダビアまで遠走りして、ここから飛行機でブエノスアイレスに戻った。

それが一月の十三日のことだから、この間は十九日ほど。なかなか長い旅になった。移動はすべて信頼できる運転手の車で、走行距離は三千キロを超えた。そのうちの四百キロほどはダート・ロードで、砂埃（すなぼこり）が尋常でなかった。

地名の由来を説明しておこう。この地を征服したスペイン人は北海道やハワイのように先住民の地名を踏襲することなく、スペイン語の地名を振っていった。ブエノスアイレスは「よい空気」であるし、リオ・ガジェゴスは「ガジェゴス川」で、ガジェゴスはマジェランの航海士の一人の名、プンタ・アレナスは「砂の岬」、エル・カラファテは青い小さな実をつける低木の植物の名、エル・チャルテンは山の名で、これだけは先住民の言葉に由来する。ゴベルナドール・グレゴーレスは「グレゴーレス知事」という人物名、プエルト・サンフリアンは「聖ユリアヌスの港」の意で、コモドロ・リバダビアは「リバダビア司令官」でこれも人名。

パタゴニアそのものはマジェランがこのあたりの先住民をパタゴンと呼んだことに由来する。パタはスペイン語で足だが、ゴンは不明。「大きい」の意で大足族の国とされてきたけれど、実際にはそんな人々はいない。巨人族であるという説も流布したが、これも間違い。他者による命名はだいたいそんなものだ。

道はどこでも平原を一筋に延びており、片側一車線のその道を巡航速度百キロで着実に走る。大型トラックなどが前方にいるとカーブでも起伏でもないところを待ってすっと追い越す。映像の仕事だったので十名ほどのスタッフと多くの機材を積んだ三台という大所帯。だいたい三台が連なって走り、遅れてもやがて追いつく。これを五時間六時間と続ける。日によっては朝の五時にスタート、別の日には午後十一時に目的地に到着。そういう旅である。

車はトヨタのハイラックスが一台とルノーのダチア・ダスターというのが二台。容積不足で時にはきつかったが、途中スタッフの出入りもあったので本当に困ったのはエル・カラファテからエル・チャルテンまでの間だけだった。ここは二名をバス便に振り向けることで乗り切った。

なぶられる風にただ耐えるだけ

以下、この本の趣旨に沿って自然科学に関わる話題を追っていこう。

日本列島の対蹠点（たいせき）は南大西洋のアルゼンチン沖である。沖縄の一部がかろうじて南米大陸の陸地に重なっている。いずれにしても地球上で日本から最も遠いところだ。

東京からブエノスアイレスまでは大圏距離で一万八千四百キロ。地表の二地点の最大値二万キロにずいぶん近い。

今回は成田(なりた)からダラス・フォートワース経由でブエノスアイレスまで、乗り換え時間を含めてほぼ二十五時間かかった。さすがに疲れたのでこの首都で一泊して翌日の国内線の便でリオ・ガジェゴスへ飛んだ。これが三時間と少し。

経度については、時差が十二時間ちょうどというだけで地球の反対側ということがわかるだろう。おかげで時計の針をいじらずに済んだ。

緯度の方から見れば、ブエノスアイレスは南緯三十四度半ほど。日本ならば高松市(たかまつし)くらいか。今回は向こうは夏だったから着いた時はずいぶん暑かった。

しかしリオ・ガジェゴスは南緯五十一度である。日本周辺で言えばサハリンの中部、ないしカムチャツカ半島の南端あたりになる。気温はどのくらいかと調べると、ここの一月(北半球で言えば七月)の平均気温が十三・四度。高緯度の割に暖かくて東京の四月くらいだ。アルゼンチンのいちばん南にあたるウスアイアでも十・三度までしか下がらない。これはこの地域を洗う海流のおかげだと言われる。

しかし、風がすごい。

もともとパタゴニアは強風で有名な地と聞いて覚悟して行ったのだが、体験してみるとなるほど猛烈。J・G・バラード風に『狂風世界』と呼びたくなるほどだった。あちらこちら公共の建物に国旗が掲げてあるが、それがどれもちぎれてぼろぼろ、大きさが半分くらいになっている。

平原の真ん中に一人で立つと、四方からたくさんの風の塊に体当たりされるようで、踏ん張っていないとよろける。風上に向かって歩こうとするとどうしても前傾姿勢になる。ヒートテック下着とワークシャツとフリースの上に風を通さないシェル、という耐風仕様で行ったのだが、それでもマジェラン海峡を見下ろす丘では車を出て歩きはじめた時からどんどん体熱を奪われるのがわかった。

かつての強風体験を思い出せば、沖縄の台風があった。あれもなかなかすごくて、家の中に籠(こ)もって過ごすしかない。おそるおそる窓を少し開けると風でむしられた木々の葉の青臭い匂いが室内に入ってくる。翌日になると裸にされた木の枝を透かしていやに見通しがよくなっている。

しかし、台風は一過性のものだ。パタゴニアの風は常に吹き続ける。朝、ホテルの窓から外を見て木の枝の動きを見て、ああ、今日も風が強いと思う。昔々、二歳くらいだったぼくの長女が「木が扇(あお)ぐから風が吹くの」と言ったことを思い出したりして。

その一方で、台風と違って平原の風では看板などのモノが飛んできて怪我をするおそれがない。ただ風にいいようになぶられるのに耐えるだけ。

それでも手にしたものを風に奪われることはある。スタッフの一人が機材の防塵用のゴミ袋を手からもぎ取られた。取り返そうと追って走るのだが、息づく風、空のビニール袋が地表近くを舞う速度、そして彼の脚力、この三者の絶妙なバランスのせいで、どこまで走ってももう一歩のところで手が届かない。ぼくは思わず、「いるんだよな、ああやって逃げる女が」と呟いた。本人は身に覚えがあるのかないのか、苦笑していた。

パタゴニアの郵便事業を開発したサンテグジュペリ

よく知られていることだが、『星の王子さま』を書いたサンテグジュペリの本職はパイロットだった。二十九歳の時から二年間、アエロポスタ・アルヘンティーナ社の駐在員として、ブエノスアイレスを起点にパタゴニア各地を結ぶ航空網を開発した。

飛行機は第一次世界大戦で急速に発達したが、一九〇〇年に生まれた彼がパイロットになったのは戦後もしばらくたってからだった。この時期、余った機材を生かしてまず興ったのは郵便事業だった。

当時の飛行機はまだ非力で、貨物や乗客を運ぶことはできない。他の交通機関に対して飛行機が持っていた利点は速度だから、郵便を運ぶという事業が生まれた。一九二六年に彼が入社したラテコエール社はフランスから南への便を一段階ずつ延ばす途上にあった。トゥールーズからピレネー山脈を越えてスペインのアリカンテへ、そこからアフリカのダカールへ、と航空路を延ばしていった。サンテグジュペリは飛ぶだけでなく、一時期はアフリカの沙漠につくられた中継飛行場の場長だったこともある。

この時期、郵便飛行の発展を阻んだのが夜と大洋だった。

船や汽車は夜も走り続けるから、その間に飛行機は速度の利点を失ってしまう。これを克服するために飛行場にも操縦席にも照明装置が導入され、多くの事故の後に安定した飛行が可能になった。これについては彼の『夜間飛行』（新潮文庫）が詳しい。この本で彼は作家として認められ、書名は遂にはゲラン社の香水の名にまでなった。もう一つの障害である大洋も彼の僚友であるメルモスやアンリ・ギヨメの力でセネガルからブラジルへ大西洋を越える航路が開拓された。

一九二九年の九月、サンテグジュペリはアルゼンチンの首都ブエノスアイレスに赴任した。ここから更に南へ、つまりパタゴニアへの航空路を開くのが彼に与えられた使命だった。

彼はこの地を愛したらしい。アルゼンチンの首都には歴史がなく情緒がない（パリと比較されたのではどこだってかなうはずがないのだが）。それよりはただ広いばかりの沙漠や険しい山の方がずっと好ましい。もともとサハラでこういう地形には親しんでいた彼である。

「ぼくら人間について、大地が、万巻の書より多くを教える。理由は、大地が人間に抵抗するがためだ。」という『人間の土地』（新潮文庫）の冒頭部分が意味するのは、自然が用意する悪条件を克服してこそ人間は叡智（えいち）を増すという思想である。キリスト教では世界は神によって創造され、人間に託されたとされる。これをよく用いて調和に導くのが人間の役割。カトリックの国フランスに生まれたサンテグジュペリは人間の営みとしての農業を重視し、パイロットをしばしば農夫に喩（たと）えた。

ドローンも風にかなわない

さて、改めて風の話。

パタゴニアで彼の前に立ちはだかったのが風だ。ここで彼が乗ったラテコエール28という機種の巡航速度は時速にして百五十キロ、秒速ならば四十メートルほどだ。これで向かい風を相手にすると、大気に対して時速百五十キロで飛んでいても大地に対しては零キロになる。実際、リオ・ガジェゴスの飛行場をなんとか離陸したものの、一時間たっても振り向くとまだ市街が見えたとか、二百二十キロ先のプンタ・アレナスを目指したのに五時間かかってようやく三分の二まで行ったところで燃料切れで不時着（対地速度は時速三十キロくらいか）、しかし帰路は一時間で戻れた、というようなエピソードが彼の伝記に残されている。

今回のぼくの撮影ではドローンを多用する予定だった。今はずいぶん性能がよくなっていて、大型のものならば時速八十キロで飛べるらしいが、ここの風にはかなわない。現場でこの風速では無理と判断して諦めたことが何回もあった。ガジェゴス川の岸で飛ばした時は向こう岸の方へ風で運ばれ、はらはらしながら見ている操縦者のところまで必死で帰ってくる姿がけなげだった。

しかも途中で敵視する鳥の群れに囲まれ、着陸寸前には野犬たちに襲われかけた。地表から二メートルほどのところまで降りてきたドローンに下から飛びつこうと犬どもがジャンプする。リトリーバーというのは狩猟の場で撃たれて落ちた鳥を取ってくるために作られた品種だが、ここの犬たちはいきなりその本能に目覚めたらしい。

強い風は偏西風である。太平洋からアンデス山脈を駆け上がって、山の西側に大量の雨と雪を降らせ、乾いた風となって東側の平原を吹き抜ける（この降雪と空っ風のメカニズムは日本海と本州の脊梁山脈の関係と同じだ。日本の場合は偏西風ではなくシベリアからの季節風だが）。

だからアルゼンチン側では空はだいたい晴れている。朝のうちは雲一つない晴天ということが多い。やがて雲が現れるが、全面的な曇天・雨天という日は山の近くで一日しかなかった。このあたり、地理学的には中央大高原（Gran Altiplanicie Central）

と呼ばれる地域では、いつも頭上にまだらな雲があり、その隙間にいつも青空が見え、視線を下げて地平線の方に目を向けると、ところどころに雲から大地へ降る驟雨が黒く見える。その雲が自分の頭上まで来れば雨になるわけだが、それも長くは続かない。だいたい天気は西から東へ移り、一日の間にすべての天気を体験できる。一度など雨ではなく霰が降ったことがあった。雲の中で形成された氷粒は融ける間もなく地上に着いてしまったのだ。

広くて、平坦で、地平線という言葉が実物として目の前に、しかし言うまでもなく遥かに遠くに、ある。パンパというのは本来はアルゼンチンのもっと北の方の平地を指すのだが、ここでも使われている。同じように水の少ない土地でも起伏があるところはメセタと呼ばれる（もともとはイベリア半島の同じような地形の呼称であるらしい）。この二つの区別に運転手のルイス氏はなかなか厳密であった。

マジェランが名付けた「平和の大洋」

南米大陸をここまで来たら海峡のことを話さないわけにはいかない。

まず自分たちが知っている世界地図を忘れ、十五世紀の航海者マジェランの立場に戻って考えよう。コロンブスのおかげで地球が丸いことはわかっていた。ヨーロッパから西に向かえば大西洋の向こうに新大陸がある。この陸地は延々と南へ延びているように見えるが、しかしどこかで終わっているのではないか。そこまで行ってぐるりと回れば、その先にはインドがあるはずだ。アフリカ南端の喜望峰を経ずとも行けるはずだ。

彼を促したのは貿易の欲望である。ポルトガルの勢力圏を回避して東側からモルッカ諸島に行き着けば香料で大儲けができる。出資者たちはそういう意図でこの投資ないし投機の話に乗った。

五隻の船団でスペインを出たマジェランは大西洋を南西に渡って今のブラジルに達し、そこから海岸に沿って南下した。改めて言うが、彼には海面から数メートル上の視点しかなかった。上からの図を知っている我々の特権は彼にはない。船からでは湾と河口と海峡は区別できない。幅がざっと二百キロはあるラプラタ河口は海峡の入口とは見えなかったか。遡上しながらしばしば汲んだ水を舐めて、塩の味がしなくなった時はずいぶん落胆したことだろう。

彼はそれでも意志も強く船を進め、南緯五十二度まで下がったところで西に開けた水路を見つけた。半信半疑で入ってゆくとけっこう先まで進める。結果を述べるならば、彼らは向こう側の広い海に出ることができた。穏やかだったその広がりに感動してその海を「平和の大洋」と名付けた。一五二〇年十一月二十八日のことだった。四世紀ほど後に「太平洋戦争」という矛盾に満ちた名前の戦いが起こるとは知らなかった。

彼はここを東から西へ抜けた。その時、何万年も前にここを北から南へ渡った人々のことは彼の知識の範囲にはなかった。

ホモ・サピエンスはアフリカで生まれ、ユーラシアに渡って拡散し、その一部はシベリアの東端に達した。今、ベーリング海峡はその名のとおり海峡だが、氷河期の当時は海面が低かったため地峡だった（地形は変化するのだ）。後に新大陸と呼ばれることになる広大な地域に人々は渡って行った。

彼らが最後に行き着いたのがこの海峡であり、海峡の対岸のフエゴ島であった。人類の最大最長の旅路である。

その先にもまだ陸地はあって、ナバリノ島との間はダーウィンに進化論のきっかけを与えた船の名を取ってビーグル海峡という名がついている。更にその先がホーン岬でその向こうはドレイク海峡。海岸線の複雑なこと、アフリカの南端がつるんと喜望峰だけなのとは大違いだ。

地理は時としてとても意地が悪いが、航海者たちはそれを知らない。彼らは楽観的にも行き止まりになるまでは海峡と信じて進んだ。ここでもマジェランは何度となく船を囲む水の塩味を確かめただろう。河口ならばやがては真水になるはずだから。

氷河は、ダイナミックな運動体

パタゴニアの地形でおもしろかったのは氷河だ。

この地域に氷河は多いが、ペリト・モレノ氷河というのがエル・カラファテの町から近くて観光地になっている。近いと言っても百キロほどだから車で行って一時間。この道は途中までアルヘンティーノ湖に沿っていて、この国最大のこの湖は多くの氷河の水によって涵養されている。水の量で言えば琵琶湖の二倍以上。

ここではペリト・モレノ氷河のフロントが見える。展望台の正面に氷の壁があって、それが少しずつ崩れては下の水に落ちるのが見える。三十キロほど先の稜線からこちら側に降った雪が積もって圧縮されて氷になり、地面の傾斜に沿ってゆっくりと流れてくる。ゆっくりと言っても真ん中のあたりで日に一・七メートルほど。

半日くらい見ていて何度か小さな崩落を目撃した。それ以上におもしろかったのは音だ。大きな塊が崩れて落ちる際には雷鳴のような轟きが聞こえる。それは当然としても、目に見える崩落がないのに轟音だけ響くこともある。せせらぎのような音はだいたいいつも聞こえているし、それとは別にいきなり滝のような音が耳に届くこともある。

氷河は一枚の氷板ではない。上を歩けばわかるが小さなクレバスが無数にあって、というより、実はがさがさすかすかの氷の集まりであって、内部の隙間を水が縦横に流れている。その隙間の形もどんどん変わってゆくわけで、大きな崩落は内部でも頻繁に起こっている。氷河はダイナミックな運動体なのだ。

翌日、氷河トレッキングというプログラムに参加して、アイゼンを着けた靴で青い氷を踏みしめて歩きながら、何十年も前に飛行機の窓から初めて見た氷河のことを思い出した。その頃は日本からヨーロッパに行く飛行機はソ連の上を飛ぶことが許されず、延々と南回りコースでゆくか、あるいはアラスカ経由で飛んだ。アラスカではアンカレッジに給油のために降りる。着陸の直前に氷河が見えた。地面とは違う平滑な面がうねうねと延びて、そこに褶曲（しゅうきょく）の線が刻まれている。あれが氷河というものかとけっこう感動したものだ。

氷河の定義は簡単、夏も消えない雪渓が斜面に沿って動いている、ということだから日本でも、（せいぜい数キロという小さなものではあるが）六箇所で氷河の存在が確認されている。

自然を見に行った以上は動物たちのことを話さなければならない。

野生動物で出会っておもしろかったのはグアナコだ。偶蹄目（ぐうていもく）の哺乳（ほにゅう）動物で、日本のカモシカを一回り大きくしたくらいのサイズ。荒野を車で走っていてしばしば見かけた。十数頭の群れでいて、人間に対する警戒心か、見つけた時にはこちらに尻（しり）を向け

グアナコ

て逃げる体勢でいる。みな草を食んでいるが、大柄な一頭だけは頭を高く掲げて周囲を見ている。これがリーダーなのだろう。

かつては荷運びに用いられたこともあり、毛も（アルパカの仲間だから）上等、肉を食べる機会もあったがなかなかおいしい。しかしアルゼンチン人は飼育などはせず野生のままにしている。

先に荒野と書いたが、これはつまり植物の密度がとても薄いということだ。雨が少なく気温も低いので、森林にはなれないし、沃野と呼ぶのも無理で、草原とも言えない。枯れた色の草むらがぽよぽよとまだらにあるばかりで、それが地平線まで続く。かろうじて沙漠ではないというくらい。ここは是非とも「沙漠」と書かなければなるまい。サハラのように砂ばかりなのではなく、ただ「水が少ない」のだ。だから生物相も希薄になる。

牧場を見学に行った。

五万ヘクタールというから二十キロ四方を上回るけれど、牛と羊がそれぞれ千頭あまりと、経営の規模としては決して大きいものではない。これもまた希薄という印象につながる。

ここで羊と犬と馬と親しくなった。牧羊という仕事の実態を初めて知った。基本の構図は広いところに羊の群れがまとまっており、周囲に二、三頭の犬がおり、後方に馬に乗ったガウチョが一人いるというもの。彼はもっぱら声で命令を発し、それに応じて犬が走りまわって羊たちをまとめて一定の方向へ向かわせる。たまに抜け駆けして逸走する羊がいると追いついて群れに戻す。見ていて効率的で気持ちのいい光景だった(心情的には自由を求めて逸走する一頭の方に自分を見立てたいのだが)。

アルマジロ

アルマジロがいた。遠くにいるのをガウチョが見つけ、追いかけて行って捕まえた。生存戦略として硬質の背中を選んだから走るのは決して速くない。人間の足でも捕らえられる。地面に穴を掘るので、時としてその穴に足を取られて馬が骨折したりする。だから害獣ということになっているけれど、そうそう目の敵にされているわけでもない。この時も手中のアルマジロはあっさり放免された。

結論、パタゴニアというのはざっとこういうところだった。おもしろかった。

光の世界の動物たち

古生物学のことを考えている。

ずっと興味はあったが、具体的にはその方面の本を読むのと博物館で化石や復元模型を見ることとくらいで、それ以上ではなかった（それぞれ例を挙げれば、ずいぶん前の本だがロバート・T・バッカーの『恐竜異説』〈平凡社〉は衝撃的だったし、最近では北海道の三笠市立博物館のアンモナイト・コレクションに感心した）。

いや、驚くべき発見の過程をリアルタイムで追ったことが一度あった。石川県のいちばん南、福井県と境を接する白峰村（現・白山市白峰）で、手取層群の化石が大量に研究者に提供され、その中から多くの新種が発見された。その報告をぼくはその時々教えられていたし、石の中から骨や歯や葉や生痕化石などを取り出すクリーニング作業を間近に見せてもらったこともあった。

その前に、二つのことを説明しなければならない。まずぼくが白峰村で「白山麓僻村塾」という営みに三十年に亘って関わってきたこと。年に何度か白峰に通うのだから、行けばこの土地の友人たちからニュースが聞ける。何かあれば現場に案内もされる。

次に、ここが化石の宝庫であること。

一八七四年、ドイツから来ていたヨハネス・ラインという学者（専門は地理学）が白山登山の帰路、旧・白峰村桑島に寄ってジュラ紀の植物化石を発見した。やがてこの断崖は桑島化石壁と呼ばれるようになる。

更にこの化石群を含む地層はここだけでなく福井県や岐阜県にも分布していることが明らかになり、手取層群と名付けられた。日本の古生物学はライン博士から始まったと言ってもいい（これはエドワード・モースと大森貝塚の関係に似ている）。手取層群の化石の研究は後にハインリッヒ・ナウマン博士と日本の科学者たちが引き継いだ。

白峰村は白峰と桑島の二つの集落から成っていたのだが、一九七五年、桑島は手取川に造られるダムで湖底に沈むことになった。そこで大急ぎで桑島化石壁の調査が行われた。化石は山の中に埋まっているが、鉱山と違って実利が伴わないので、それ自体を目的とする発掘はなかなか行われない。崖に露出しているか、あるいは他の目的の工事で出た岩石の中を探すか。

ダム工事に伴ってそれまでの道は湖底に沈んでしまう。四十メートル上に新しい道路が造られ、この工事で露出した崖もまた化石壁であることがわかった。しかし、この崖は崩落が激しく、道路として使用に耐えないというので背面にトンネルが掘られることになり（後にライン博士の功績をたたえてライントンネルと名付けられた）、ここから出た岩石から大きな成果が得られた。

桑島化石壁で見つかった三種類の肉食恐竜

手取層群が形成されたのは一億四千万年前、ジュラ紀である。当時、後に日本列島となる陸地はまだ大陸の一部だった。このあたりは汽水ないし淡水の浅い湖で、そこに暮らした動植物が化石となった。見つかった化石は、大きな話題になったものでは肉食恐竜が少なくとも三種類。その一つは歯の形から推測してティラノサウルスの一種と思われる。植物食の恐竜ではイグアノドンをはじめ数種類がいたことがわかった。その一つには「アルバロフォサウルス・ヤマグチオルム Albalopho-saurus yamaguchiorum」という学名が与えられた。前半は白い峰のトカゲ、つまり白山にちなみ、後半は発見に貢献のあった二人の人物、県立白山ろく民俗資料館の山口ミキ子と山口一男の姓にちなむ（同じ姓は偶然）。他にも翼竜の一種がおり、哺乳類に近い小型植物食のトリティロドンも見つかった。

自慢するつもりはないが、山口一男は三十年来の親友であり、ミキ子さんが小さな石のかけらから貴重な化石を削りだしている場面に立ち会ったこともある。主な道具は双眼の実体顕微鏡、小さなハンマーやたがね、アートナイフ、歯科医用のエアタービンで駆動するチゼルやルーター、筆、瞬間接着剤、吸塵機など。小さな歯一本や骨のかけらが大発見に繋がる。ティラノサウルスの発見は断面がD字形の一本の歯だった。ひたすら根気の要るこの仕事を彼女はにこにこしながら進めていた。

この間の事情を再確認するために入手した『白山の自然誌30 桑島化石壁』(石川県白山自然保護センター)を見ていると、「クワジマーラ・カガエンシス Kuwajimalla kagaensis」の復元図を描いた人の名が菊谷詩子と記されていた。なんという偶然、この人も友人なのだ、とまたちょっと胸を張る。

いや、古生物の復元図では彼女は第一人者で、『広辞苑 第七版』にも多くの絵を提供しているのだから、桑島で会うのは必然かもしれない。

ここで話はマダガスカルに飛ぶ。

二〇一七年の初夏、菊谷さんからマダガスカルに行くけれど一緒に行きませんかという案内が来た。いい機会だからと、普段から親しい仲間数名がぞろぞろ同行することになった。ぼくもその一人として手を挙げた。

マダガスカルはインド洋の西、アフリカ大陸に近い島嶼国で、面積は日本の一・五倍以上という大きな島である。早い段階で他の大陸から分かれたため、動植物の七割以上が固有種という特異なところ。よく知られているのは原始的な猿であるアイアイ、更にカメレオンがいろいろいて、バオバブとか旅人の木(traveler's tree)とか植物もおもしろい。これは是非もなく行こうと決めて万障を繰り合わせることにした。ところが旅の直前になって問題が生じた。彼の地でペストが発生したのだ。これまでも田舎でネズミなどによる腺ペストはあったが、今回は飛沫感染の肺ペストで、事態は深刻と言えた。みんな迷ったあげく、今回の旅は中止ないし延期ということにした。

その後、たまたま夏に東京で菊谷さんに会って残念でしたねと話すうちに、なんとなく話題が古生物の方に流れた。彼女にとっては専門領域、ぼくには趣味である。アノマロカリスやハルキゲニアの形態のことを話していると、「カンブリア紀のことならばアンドリュー・パーカーの『眼の誕生』がおもしろいですよ」と教えられた。早速入手、一読驚嘆。十年以上前に翻訳が出ていたのにぜんぜん知らなかった。ものを教えてくれる友人はありがたい。

五億五千万年前に多様な生物が爆発的に出現

『眼の誕生』（草思社）の主題はカンブリア爆発である。

地球上の生物の歴史には二つの大きな画期がある。一つは生命の誕生それ自体であり、もう一つが爆発と呼ばれるほど唐突かつ大規模なカンブリア紀の多様化。これを機に古生物学の時代区分は「古生代」に入る。それ以前は「先カンブリア時代」とか

「隠世代」とか呼ばれるごく地味な時期でしかない。

ここで地史の記述法のおさらいをしておこう。

歴史上の事象を歳月の上に位置づけるには二つの方法がある。一つは遠い過去に始点を決めてそれから何年後とすること。歴史はAが起こって、その結果がBで、やがてCになった、という風に時を追って説明するとわかりやすい。自分が生まれて、学校に入って、恋を重ねて、職業を得て……という具合。

その一方、日常の時間感覚は誕生の時ではなく今を起点にするのが普通だ。三日前にピクニックに行ったけれど、あそこは去年も行ったし、あの時の仲間のLさんに初めて会ったのが何年前……という思い出しのタイムスケール。

前者の典型が西暦である。ここ数百年、世界史をリードしてきたのはヨーロッパのキリスト教徒たちだったから、イエス・キリストの誕生を起点にする暦法が普及した。暦法は日常生活の道具であって実際の信仰とはほとんど関わらない。メートル法と同じようなツールだ。西暦にもメートル法にも異論はいろいろ立てられるけれど取りあえずは便利だから使う。グローバルな尺度として採用する。

さて、地史だ。

地球が今の形を成したのがおよそ四十六億年前。

まずはこの説を受け入れよう。神が世界を創造されたのがざっと六〇二三年前（紀元前四〇〇四年)、というアッシャー大司教の説は引き出しに入れておこう。

その後でいろいろなことが起こって今に至ったわけだが、この年表が直感的に摑(つか)みにくい。簡略な表現のツールは作れないか。

地球ができてから四十六億年。この「億」が面倒くさいし、個々の事象については桁(けた)が煩わしい。では整理を試みよう。前述の二つの方法を使い分けて、スタート地点と「今」と、両端から迫る。

まず、地球であるあなたを四十六歳とする。邪魔な「億」の字を消すのだ。

あなたは四十六年前に生まれた。球形化を完成して、太陽から一定の距離のところで安定軌道に乗った。

六歳になった頃、大気の温度が水の沸点を下回り(これは大気圧と相補的なのだが)、地表全体に雨が降り始めた。熱湯の雨は何十万年も降り続いた、と書きたいところだが、これが「何万年」か「何百万年」か、桁がわからない。今回は万事がこういう話なのだ。大量の水から海が生まれ、陸地と分かれ、塩分が水に溶け込んだ。八歳のあたりで生命というものが誕生した(深海熱水噴出孔が舞台という説がおもしろい)。その後ずっと生命というユニークな存在形態はこの惑星の上で静かに密(ひそ)やかに生き続けた。

二十三歳半の時には全地表が氷に覆われるスノーボール状態という危機に見舞われ

たけれど、しばらくの後、火山活動による炭酸ガスの噴出で温室効果が機能して、氷ではなく水の世界に戻ることができた。

二十四歳の頃、大気の組成のうちの酸素の量が増した。生物は代謝システムの根源的な変換を迫られ、有毒であった酸素をエネルギー源として用いることにした。このあたり、生命はまことに柔軟である。

四十歳で多細胞生物が生まれた。エディアカラ生物群と称されるが、数十センチ大まで育っても体形は薄くて軟らかく、殻や骨格がなかった。体表から栄養を吸収していたらしい。

四十歳半のあたりで劇的な変化が起きた。いきなり多様な生物が登場したのだが、その詳細は後に述べる。これを機に地球は古生代に入ったとされる。「古」の字が付くから古いように思えるけれど、本格的な生物の時代はここから始まった。

ここで尺度を切り替えて、振り返りの視点に立とう。古生代の始まりは、今の時点で四十六歳である地球にとっては五年半前だ。

それからの三年ほどが古生代である。具体的にはカンブリア紀が六か月ほど続き、その後に、オルドビス紀、シルル紀、デボン紀、石炭紀（せきたんき）、ペルム紀が連なる。そこでP-T境界絶滅と呼ばれる大異変が起きて（原因は大きな地殻変動とか）、これを機に生物相がまた大きく変わり、名前も中生代（ちゅうせいだい）と変わる。

この時代は三畳紀、ジュラ紀、白亜紀と流れて、今から八か月前（実際には六千五百万年前）の、いわゆるK-Pg境界（以前の呼称はK-T境界）で終わる。小惑星が地球に衝突して恐竜がみな死んでしまったあの大規模災害である。

それを生き延びた生物の中から哺乳類が擡頭したのが新生代。鳥類は恐竜の子孫だから二つの時代に跨って繁栄していることになる。

人類の祖先が生まれたのを五百八十万年前とすれば、これは四十六年の人生においてわずか二十一日前のことである。パルテノン神殿が造られたのはたった十三分前だ。敢えて圧縮して記述しているのだから驚く必要はないだろう。

驚くべきは五年半前に（五億五千万年前に）、いきなり多様な生物が爆発的に出現したことの方だ。カンブリア紀の大変化のきっかけは何だったのか。

生命の誕生はそれ自体とんでもない奇蹟だった。

多くの元素が相互に作用しあって、地球自身の質量と重量、太陽のエネルギーや地熱や火山活動などで変成を遂げて岩石が生まれる。そこに至ったところで安定のレベルに達して、大地の一部となる。短期的に見れば山は動かない。

しかし、生物はまるで原理が違い、反応速度が違う。岩石の基本構造は珪素の格子だが、生物は同じ四価でも炭素の格子である。珪素と炭素は周期表では上下に並んでいる。炭素は水という特異な物質と親密で、この性質から安定しながら変化の力を備えた「生命」という存在形態が生まれた。

生命の原理は有機物を主体とする動的平衡である。膜の中の水で満たされた空間に物質が出入りしながら安定が保たれる。川の形は変わらないがしかし水は常に入れ替わっている。水を閉じ込める岸にあたるのが生物の（具体的には細胞の）膜。川は長い間に流路を変えるし、時には決壊と氾濫もある。生物もまた変わる。

生命は個体として生存を求め、次世代を生み出すことを求める。生命の本体は個体ではなく利己的遺伝子であって、個体はその乗り物にすぎないというリチャード・ドーキンスの表現は的を射ている。利己的、というのは「意思」があるということだ。消滅に逆らおうという意思。

前に書いたことだが、AIが人間を征服するという説の間違いはAIに意思があると仮定しているところだ。AIには生存欲がない。スイッチを切れば、あるいはもっと乱暴にプラグを引っこ抜けば消滅する。AIはそれに抵抗しない。一寸の虫にも五分の魂と言うけれど、その五分の魂がない。生きていないのだから、彼らのふるまいは擬似的な生態でしかない。

プラグに手を掛けているのは人間だから、と考えて何十年か前のMIT（マサチューセッツ工科大学）の学生たちの発明品を思い出した。ごく普通のアタッシェケースが置かれている。取っ手の横にスイッチが一つある。人が手を伸ばしてそのスイッチをオンにするとブーンという作動音が聞こえ、蓋が開いて中から腕が一本しずしずと出てくる。そしてスイッチを切って、またしずしずと中に消え、蓋が閉じて作動音も止まる。それだけ。

そうプログラムされているだけのことだが、拗ねやすい性格というか、妙に人間くさいところがおもしろい。それはつまり、放っておいてくれと言っているような意思を人間の側が読み取ってしまうからだが、しかし機械には意思はない。

捕食と防御の闘いが激化したきっかけは眼の発明

さて、菊谷さんに教えられた『眼の誕生』だ。一つ前の時代のエディアカラ生物群と比べてカンブリア紀の動物には「硬い殻」があり、「歯や触手や爪や顎」を備えているという特徴がある。そういうものを作るには素材とエネルギーの投資が要る。生物は無駄なことはしない。つまり何か大きな変化が起きて、彼らはみな攻撃的かつ防御的な身体を作らざるを得なくなった。喰うと喰われるの関係が高速進化を促した（この時代の大量な化石群が発見されたバージェス頁岩については、スティーヴン・ジェイ・グールドの『ワンダフル・ライフ』〈ハヤカワ文庫NF〉が詳しい）。これまでこの速やかな進化の理由はいろいろに提案されてきたけれど、充分に説得的なものはなかった。

生物は外界から情報を得て、それに応答して栄養を取り込み、身を守り、生殖をする。情報は水中であれば周囲の水温や塩分濃度、水流、溶け込んだ化学物質（匂いと言っていいか）、振動（これも音と呼べるかどうか）、そして明るさ、重力の方向つまり上下の区別などがある。体軸が水平で前後の区別がある動物の場合、感覚器官は一方の端にまとまって配置されているのが普通で、そこには捕食装置として口もあり、頭と呼ばれている。

環境に充満する情報を自分のために利用するには感覚器官が要る。空気の振動である音は皮膚でも感じられるが、耳を整備してしかもそれを二つ装備すると音源の方向がわかるようになる（その精度を上げるためにある種のフクロウの耳はあえて左右非対称になっている）。

カンブリア爆発のきっかけ、捕食と防御の闘いが激化したきっかけはそれ以前と比べて格段に高度な光の応用にあった、とパーカーは声高に言う。言い換えれば眼の発明だ。これこそがこの本の眼目！

眼は非常に精緻（せいち）な器官である。球形のしっかりした眼球の前面にレンズがあり、その焦点の位置に網膜がある。全体は外部に付随する筋肉で上下左右に向けられるようになっており、更にレンズである水晶体も微細な筋肉で吊（つ）られていて、遠近に応じて焦点距離を変える仕掛けになっている。眼球の前には非使用時の休息のために、またゴミや虫が入らないように、目蓋（まぶた）というものがある。その上、睫（まつげ）や眉毛（まゆげ）という防塵（ぼうじん）装置もある。

こんな精妙なものを進化論は説明できるか？　ダーウィン自身がこれを「完璧（かんぺき）にして複雑きわまりない器官」と呼んだという話が伝わっている。あまりに合目的的で、まるで知的な存在（つまり神）がきちんと設計したかのようなので、ダーウィンはちょっと自信をなくしたらしい。

合目的的である証拠に人間は写真機というものを作る時に明らかに眼をモデルにした。しかし、哺乳類とはまるで別のグループに属するタコの眼が我々の眼とほとんど同じ構造をしているという事実は、進化という現象の力の証明ではないのか。目的が同じならば別の経路を辿（たど）っても同じところに行き着く。進化は充分に自律的にしてしかも合目的的である。

パーカーは生物が光を応用する例を次々に検証する。自分が光を感知でき、周囲の誰もが光を感じることができるとすれば、これは双方向的に通信に使える。体色というものをまとって隠れることができるし、逆に派手にアピールすることもできる。体色は色素によるだけでなく薄い多層構造によって虹（にじ）色にもできる。更には自ら発光するという積極的なやりかたもある。

だが、それらすべては相手が光を感知することを前提とした話だ。相手、すなわち他者。エディアカラなどの平べったい、岩の上をゆっくり動いていた動物たちに他者という意識はどこまであっただろう。

進化の基本原理をおさらいしよう。個体の形質は遺伝子という設計図の表現形である。遺伝子は世代を経るごとにコピーされるが、稀にコピーミスが生じる。これが突然変異である。コピーミスは次世代の個体に表現され、更に次の世代に受け渡される。先祖とは異なる形質が定着する。そして、その形質が環境に対して有利ならば、その系統の種は突然変異を生じなかった仲間に対して優位に立つことができる。繁栄への第一歩だ。

眼の場合、出発点は光を感知する細胞だ。薄い皮膚の下にあって明るい暗いの違いを知るが、そのままでは光が来る方角はわからない。

この明暗感知細胞が体表の一点にまとまってあり、なおかつその周囲がたまたま環状に盛り上がって中がくぼむと、この簡単なカルデラ状の構造物の内側では細胞の位置によって明暗の感知に差が出る。つまり外壁の影ができるのだ。上の方に何か大きなものが迫った時、どちらから来たかがわかる。どちらへ逃げるか対策が立てられる。

このくぼみが深くなり、更に上部が内側へ閉じてゆくと、この球状の構造はやがてピンホール・カメラを成すことになる。上から迫るものの形状まで知れるようになる。これはもう眼と呼んでいいのではないか。

この空洞の開口部を透明な膜で覆うことにしよう（仮にここではその意図があるような書きかたをしているが、あくまでもすべて突然変異と環境による評価の積み重ねである）。この透明な膜の真ん中が膨らんでレンズを形成すればピンホールよりずっと多くの光を網膜に送り込めるし、解像度もはるかに改善される。かくして眼は完成形に至る（これに併行して神経から脳が作られ、その中で映像解析のソフトウェアが発達した過程があったことも忘れてはいけない）。

大事なのは、この一連の過程のどの段階でも一歩進むごとに機能がそれだけ増すというところだ。進化には意図がないのだから飛躍もしない。また進化は後戻りもしない。ピンホール・カメラの形の眼はアンモナイトなどに見ることができる。しかしこれはもうそれだけで完成形であり、これがレンズを得る方向に進むことはなかった。どこかで枝分かれしたら後は行くところまで行くだけ。

こんな遠大な進化にはどれくらい時間がかかるのだろう？　ずいぶん安定した複写システムであるはずのDNAがコピーミスをする確率はどれほどなのか。

カンブリア紀のアノマロカリスには立派な眼があった。エディアカラ生物群には眼はなかった。ダン＝エリク・ニルソンとスザンヌ・ペルゲルの研究をパーカーは引いているが、それによれば一世代あたりの変化率を〇・〇〇五パーセントに設定すれば（これはずいぶん「控えめな」数字）、光感知だけの未発達な段階から魚の眼に至るまではたった四十万世代で済むという。一度始まったら互いの競争でどんどん進化は進むだろうし、小さな動物は一年で次の世代を産む。眼の完成まではせいぜい五十万年。同じことについてリチャード・ドーキンス博士は『進化とは何か――ドーキンス博士の特別講義』（ハヤカワ文庫NF）の中で二十五万世代と更に小さな数字を提示している。仮に百万年としても、先の地史四十六年の比喩(ひゆ)にすればわずか四日だ。生態系はあっという間に変わった。いわば光によって種は変化を強いられた。

その結果、奇っ怪な形の動物がいろいろと生まれた。アノマロカリスもそうだけれど。ハルキゲニアのあの棘(とげ)だらけの姿もすごい。化石はだいたいつぶされて平面になっているから三次元に復元するのが難しいものだが、ハルキゲニアの場合、研究者はまず上下を間違え、前後も間違えた。この名は「夢から生まれた」という意味だけれど、むしろ捕食の恐怖の悪夢からこの防御に徹した形は生まれたのではないか（ちなみに、亜種として「ハルキゲニア・ムラカミ」と「ハルキゲニア・カドカワ」がある、というのはぼくの嘘）。

進化は結果を外から見れば競争である。攻撃と防御、両方の性能が向上する。これは兵器の場合とまったく変わらない。矛と盾、弓矢と鎧(よろい)、砲弾と装甲、ミサイルとMD（ミサイル防衛）……更には今の超監視社会にしても光によって敵の情報を得るという原理ではカンブリア爆発と変わらない。無数のカメラを用いるという点ではカンブロパキコーペの複眼と同じではないか。

生物の場合、人間の場合、なぜ生存が競争原理に支配されるようになってしまったのだろう？　個体や種に分化して生きる。代謝のための資源には限りがあるから奪い合いになる。しかたがないのだろうか。人間はまずもってヒトであり、生物である。だから進化の競争を（ちょうど個体発生が系統発生を繰り返す、というあのわかりやすい謬説のままに）そのままなぞることになったのか。

別の途もないではない。例えば元素は競争しない。また星々はそれぞれに生まれ、その位置を占めつつ輝き、他の天体との間に光や重力を介した影響を及ぼし合うが、しかし競争はしない。それぞれに長く輝いて、やがてそれぞれの質量に応じて赤色巨星から白色矮星になるか、超新星として輝いた後で中性子星やパルサーやブラックホールになるか。ここは大雑把な話で済ませておくが、しかし星は互いに競争はしない。

自然に煽られて競争に明け暮れることはどこか空しい。そんなにまでしてどこへ行こうとしているのか。生物の場合でもそうなのだから、科学技術を用いて超高速進化の道を走っているヒトという種、つまり人間の場合はいよいよ空しい。存在にまつわるこの空しさを原罪と呼ぶとしたら、ここから先はもう科学ではなく神学に属することになる。

環世界とカーナビと心の委員会

たまたま泊まった那覇（なは）のホテルの窓に小さな甲虫がとまっていた。ガラスの外側で、地上から十一階の高さ。よく晴れて暖かいことはさっきの散歩で確認している。

虫は全長七ミリくらい。テントウムシほど丸くはなく、かと言ってカメムシのように角張ってもいない。言うまでもなく腹の側しか見えないから背に模様があるか否かはわからない。

しばらく見ていたのだがまったく動かない。そして、ふっと飛び立って行った。

この甲虫にとって外界とは何かと考えてみる。

空気の暖かさ、上空からの光、微風とそれに含まれるさまざまな匂い・臭い、脚に感じるガラスの質感、そこに付着したわずかな埃（ほこり）などを見ているかどうか。視界を鳥の影がよぎれば気づくのか。

体内の意識には何があるだろう？　食の欲求と時期によっては生殖の欲求。不快や危険を回避する用意。そして、生きていることの喜び？

なぜあの時点で彼／彼女は飛び去ったのだろう？　何かが充足したのか、不安の要素が迫ったのか、別の何かを求めたのか。それとも単なる体内時計の促しか。

これくらいで甲虫のその時の生を構成する要素を数え上げたとぼくは考える。

二十世紀のはじめ頃、ヤーコプ・フォン・ユクスキュルという生物学者が「umwelt（ウムヴェルト）」という概念を提唱した。このドイツ語は普通ならば「環境」とか「外界」という意味だが、分解すると um が「巡って、囲んで」で welt は「世界」。日本語では「環世界」と訳される。

生物の一個の個体がその感覚から得られた情報によって構成している世界像、というような意味で、だからぼくは窓ガラスに止まった甲虫の環世界を想像してみたのだ。

これがおもしろいのは、分類学を上位から下位へと辿（たど）るのではなく、これを逆転してまず個体の側から世界を見るところだ。

ユクスキュルは環世界の最も単純な例としてマダニを挙げた。節足動物だが昆虫ではなく、大雑把にはクモに近い。

交尾を済ませたマダニの雌は木や草の上で待機していて、哺乳（ほにゅう）動物が下を通るとその上に落ちる。哺乳動物は酪酸の匂いを発しているのでそれを感知するのだと言われている。毛皮の上に落ちたことは温度でわかるから、毛の林に分け入って皮膚に到り、そこで吸血する。皮膚を小さく嚙（か）み破った部分を自分の分泌液で補強して数日に亘（わた）って血を吸い続ける。卵を熟成させるに充分な量の血液が得られたら下に落ちて産卵して死ぬ。

マダニにとっての世界はこれだけの要素から成っている。それ以外は無い、という点が大事だ。

犬の場合はどうかと考えてみる。

犬は人間に近いから観察は容易だし、我々は犬の世界を知っていると思っている。なにかと擬人化されやすく、人間の行動を説明する動詞がそのまま犬に用いられる。甘える、ねだる、愛する、拗ねる、怯える、嫌う、怒る……実際どこまで通用するか。犬の環世界を人間のそれと比較してみる。つまり二つの種の意識の間に橋を架ける試み。

最も大きな違いは頭の位置である。哺乳類は感覚器官を体軸の一方に集め、捕食の器官もそこに配置した。ここを顔と呼ぶ。見て、聞いて、嗅いで、味わって、食う。これは極小のトガリネズミから巨大なゾウまで変わらない。

そしてたいていの動物の場合、顔は地面に近い。例外的なのが類人猿、とりわけヒトである。ヒトは直立二足歩行という他から見ればとんでもない運動様式を採用した。その結果、顔は地面からはるか遠くになった。

利点はいろいろあった。前足が解放されたので、何かを摑んだり投げたり道具を使ったりできる。頭は脊椎の真上にあるから発達して重くなった脳の保持が容易になった。目の位置が高いので遠くを見ることが可能になり、それに応じて視覚が発達した。一方、二足歩行は習得にほぼ一年かかるという問題があり、エネルギー効率も悪いらしい。もともと不安定な姿勢を能動的制御で補っているのだから転倒するという危険もある。四つ足の動物にはまずないことだ（俗に、寝ていて転んだためしはないと言う）。

顔の位置に由来するヒトとイヌの環世界を考えてみよう。外界からの情報の入手法で最も大きな違いは、ヒトが視覚を多用するのに対してイヌは嗅覚に頼ることがずっと多いという点だ。イヌの鼻は地面のすぐ近くにあって微細な匂い物質を取り込みやすくなっている。ヒトでは地面は遠く普通の姿勢で歩いているかぎり地面の匂いはなかなか上がってこない。

ヒトにはおよそ六百万の嗅覚受容体があるが、イヌではそれは二億から三億だという。こういうことについてはアレクサンドラ・ホロウィッツの『犬から見た世界』（竹内和世訳）がおもしろい。ただしこの邦題はちょっと違う気がする。イヌはもっぱら世界を嗅いでいるのであって見ているのではない。あるいは「見る」という行為を最も広く解釈するとこうなるのか。原題は INSIDE OF A DOG。

彼らはもっぱら嗅覚によって外界の像を作っている。ヒトが目で微細なもの（例えば振り仮名の「ほ」と「は」）を見分けるのと同じように、彼らは微細な匂いを嗅ぎ分ける。完璧に洗浄したスライド・グラスに誰かの指を押しつけると、人体由来の物質がごく微量そこに付着する。それを数時間から数週間そのままにしておいて、何枚かのきれいなスライド・グラスの間に混ぜてイヌに嗅がせる。あるイヌは百回の試行で九十四回それを当てた。更に一週間それを屋根の上に放置して雨風その他の匂い物質に晒した後でも半分は当てたという。

犬を散歩に連れ出すと、ひたすら地面とその周辺にあるものを嗅いで進む。一か所ずつ時間を掛けてそこにある匂いを精査する。鼻を寄せ、何度となく鼻腔に空気を出入りさせて確実な判別を心掛ける。三十分の散歩でそれを何百回と繰り返す。犬どうしが出会えばまずお互いの鼻を嗅ぎ、次に尻尾のあたりを嗅ぐ。人間が互いの顔を見て個体を識別するのと同じことを匂いでしている。

犬の散歩で感心するのは彼らの好奇心の強さだ。そこでその匂いを嗅ぐことにはさほどの利はない。道端に点在するものの大半は食べられない。だとしたら犬は純粋な知的関心のゆえに匂いの地図を作っているとは言えないか。

イヌの鼻が濡れているのは水分が匂い物質とセンサーを媒介するからである。ヒトの場合はあの抗原検査の綿棒を突っ込む手前まで鼻腔は乾いている。嗅覚と味覚がごく近い関係にあることは、風邪で嗅覚が働かないとものを食べてもおいしくないから納得できる。

視覚はあまりイヌの役に立たないようだ。犬の頭に小さなビデオカメラを固定して地面から二、三十センチの高さから撮影すればわかるがその位置では大したものは見えないのだ、とこれは人間と比較しての話。『犬が星見た』は武田百合子の名著のタイトルだが、たぶん犬は星も月も見ないだろう。太陽は眩しいから見るかもしれない。昔、蜀という国はいつも曇っていた。たまに日が出ると犬が怪しんで吠えた。これを「蜀犬、日に吠ゆ」と言う。

ヒトは立ち上がることで高い視点を得て、それによって広い範囲を認識するようになった。食用に適する動物や植物を遠くから見つけるし、脅威となるものが見えれば速やかに退避する。

ここでヒトは自分を中心とする世界図を描いてその中に自分の位置を定位している。これはヒトが樹上生活を捨てて平原に出た時に、あるいはその後で知力が充分に高まった時に、身に付けた知的操作であったはずだ。あそこにあの丘があって、あちらはあの林、振り返れば自分の後ろには一本の高い木。太陽と月は毎日あっちの方から昇ってあっちに沈む。

これに記憶が加わると、あの丘の先には川があって、その川は左手の方では急流だが右の方へ行くと緩やかになるなどということを考え、つまり直接は見えないところについても補完するようになる。更に長い時間軸を加えれば、いつか雪が消えてすぐの頃にあの先でウサギを獲ったなどということも書き込める。

つまりこれはヒトのその個体の脳内に描かれた地図である。ヒトは遠くまでの視覚を発達させて環世界を図式化できるようになった。嗅覚で世界を捉えているイヌは何十万もの匂いの一つを同定して記憶の中の匂いのリストと突き合わせることができる。これによって犬は（人間に飼われていなかったら）食物を得、危険を回避し、異性に出会える。何よりも世界を認識することができる。それを駆動しているのは先に書いたように外界を知りたいという好奇心であってそれはほとんど生きることと同じ。ひょっとしたらマダニについてもそう言えるのかもしれない。個体と環世界の基本の構図の根底には生きる喜びがあるのではないか。これは科学に感情を持ち込むことだろうか。

人間は脳の中に自分の環世界の地図を作ると書いた。

最新の脳理論は同じようなことを説いている。

まず、ヒトの脳は新築でも改築でもなく増築を重ねて今に到っている。

最も古い脳幹は身体を管理する総務部のような働きを担当している。循環、呼吸、消化、発汗・体温調節、内分泌機能、生殖機能、および代謝のような不随意な機能などなどを自律神経が動かす。

小脳は平衡・筋緊張・随意筋運動の調節に与る。

最も新しい新皮質が我々が知性と呼ぶものを司っている。随意筋を動かす命令はここから小脳に送られる。

古い脳と新しい脳は協調すると同時に対立もする。自分の意思で呼吸を止めることはできるがずっと止めていることはできない。この時は脳幹の働きが新皮質の命令を凌駕する。だから自分で息を止めて自殺はできない。

古い脳は身体の維持という目的に忠実で、だから抑制が利かない。日常生活で甘いものに出会うととりあえず食べておこうとする。生きることには飢えという苦難がついてまわるから「とりあえず」になる。次の機会はないかもしれない。この衝動は飽食の社会では肥満に繋がる。新しい脳はこの理屈を知っているから我慢を強いる。異性に出会った時にとりあえず種付けをしよう／させようという衝動が湧くのも同じ。かくして我々は毎日自分と戦うことになる。

解剖学的に言うと、新皮質は厚み二・五ミリ、広げればナプキン一枚くらいの大きさでこれが頭蓋骨に収まるようたたみ込まれている。

この二・五ミリの厚み方向に太さ一ミリほどのコラムと呼ばれる柱状の組織がびっ

しり並んでいる。これが知能の単位で、その一本ずつに数万のニューロン（神経細胞）が収まっている。細く長いニューロンは中心である細胞体とそこから長く伸びる軸索からなる。ニューロンはシナプスと呼ばれる接合部を介して他のニューロンに繋がっていて信号が行き来する。これは電気的な単純なオン・オフではなく化学的な、つまり物質を仲立ちとするもので、その分だけ微妙な制御ができる。シナプスの数は一個のニューロンごとに何千とか何万とか。

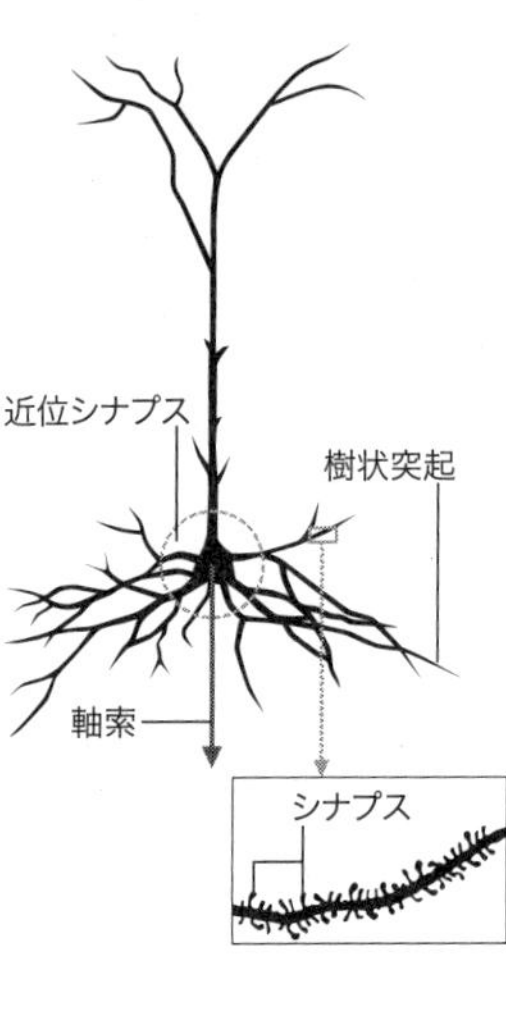

次は新皮質の機能。

あなたはなにげなく手を伸ばしていつものカップを取りいつものコーヒーを飲む。この時、脳は何をしているか。手でカップに触れ、向きを確かめ、五本の指を所定の位置に置いて、持ち上げて唇に運ぶ。いつものカップを予測しての動き。

ここであなたの新皮質は世界のパーツのモデルをたくさん記憶しているから、そのモデルと比較して手にするだろうものを予測する。そのカップは既に学ばれたものだったらことは自動的に運ぶ。

そうでないもの、別のカップとか、昨日と違う天気とか、時計の文字盤の表示とか、その他すべて生活で出会う新しいものについてはそのつど学んですぐに新しいモデルを作って記憶する。

モデルは多くのニューロンに分散して記憶されている。それぞれは不完全で部分的だが、ぜんたいを合わせると実用のレベルに達する。この冗長性は柔軟性に通じる。世界は変化しているしあなたは動く。モデル作りは間断なく続けられ、世界像は更新される。

この分野についてこういう最新の知見を知るには『脳は世界をどう見ているのか』(ジェフ・ホーキンス)が役に立つ。彼によれば大事なのはカップに触れた指の相対位置である。指の一本ずつはカップに対してどこにあるのか。初めてそのカップに会った時にそれを座標軸という空間的な言語で書き込んでゆくのだ。それがたくさん用意されている。次の機会にカップに手を伸ばす時、たくさんのニューロンが過去の記録をもとに予測を提出する。カップが既知のものだとわかったところで予測は撤回される。

新しいカップだったら、新規の書き込みをせよという指令がニューロンたちに向けて出される。(この興奮状態に到ることをこの本では「発火」と訳しているが、これは「励起」ではないか、とぼくは考える。原文は ignite か excite か。)

ここで大事なのは座標軸という概念で、つまりはコップを写し取った三次元の地図だ。ジェフ・ホーキンスはこれを発見して高く評価されたらしい。

新皮質は毎分毎秒これを繰り返して外界の像を更新している。

原始のヒトが丘の上に立つたびにあそこにカモシカの群れがいるとか、あちらの山は紅葉を迎えたとか、地図を更新するのに似ている。歩き回れば新しい情報はもっとあるはずだ。

現代の我々はもっとずっと抽象的なことについても座標軸を用意して図を描いている。進行中の戦争について昨日から今日への変化を書き込んで一喜一憂する。政治の動きや揺らぎについても最新の宇宙論についても同じことをしている。それらは項目ごとに座標軸が用意されている。もちろん自分を中心とする人間関係についても座標軸はあるし、これが最も情報の多い精密な地図かもしれない。

現代人の脳にとってこの地図はNDC(日本十進分類法)のようなものかもしれない。知ることのすべてがカードに記載されていて、このカードは世界の変化や当人の動きに応じて速やかに提出され(これが予測ということ)、照合して既知のものならば元に戻され、そうでなければ観察に応じて書き換えられる。脳は常時それを行っている。重量で体重の二、三パーセントしかないのに、呼吸で取り入れた酸素の二十パーセント、肝臓が産生するグルコースの八十パーセントを消費しているだけのことはある。

人間の環世界で大事なのは、我々に自分を客観視する能力があるというところだ。一旦は自分を地図の外に出して、その上で改めて配置する。ここにいる自分から見える風景だけでなく、丘の向こうの地点に行った時に見えるものを予想ないし想像できる。恋する相手に告白する自分がその相手からどう見えているか、あるところまでは推測できる。それで悲観的になって告白を止めたりして。

もっと具体的に実際に地図を手にして歩く時のことを考えてみよう。最初にするのは地図の上の自分の位置を確認することだ。そうすればどちらへどれだけ歩けば目的地に到るかわかるし、その途中にあるランドマークの所在も知れる。

山の中で迷った時に頭上をトビが旋回している。あのトビの視点からならば自分のいる位置と外れてしまった登山道の関係、沢と尾根の関係が見えるのにと思う。手元にある二万五千分の一の地形図を改めて精査して、コンパスと太陽の位置で方位を計って、見当をつけて歩き出す。そういう人のために、またすべての人のために、国土地理院は地図を用意してくれている。

寺田寅彦（てらだとらひこ）は「地図をながめて」というエッセーにこう書いている——

「当世物は尽くし」で「安いもの」を列挙するとしたら、その筆頭にあげられるべきものの一つは陸地測量部の地図、中でも五万分一地形図などであろう。一枚の代価十三銭であるが、その一枚からわれわれが学べば学び得らるる有用な知識は到底金銭に換算することのできないほど貴重なものである。

地図はぼくにとって昔から親しいものだった。身近な地域の地図を描くのは幼い頃からよくやったし、天気図が好きだった。中学校で幾何を習うと座標系というものがすぐに理解できた。二つの数字の組合せで平面上の一点を特定する。地理で使うような地図の緯度と経度のシステムもわかった。三次元ならば木工をする時に描く図面に寸法を書き込んで、その数値に従って材料を用意することも覚えた。

地図を活用するにはある程度の下準備が要る。昔、運転を覚えて間もない頃は遠出する前に道路地図を詳しく見て経路を決め、主要な道路の名や曲がり角をメモし、大雑把に距離を測ってから出発した。それを重ねて我が脳内にその地方の自動車道路ネットワークのモデルを作ったわけだ。

しかし、最近、この個人の地図になかなか深刻な異変が起こっている。カーナビというインターネットに繋がったデジタルな仕掛け。これを地図と呼んでいいのかどうか。

ここでは普遍的な地図の上に自分の位置を探さなくともいい。目的地を入力すれば経路はあっちが決めてくれる。便利で楽。使わないわけにはいかない。

この転換の意味は大きい、というか実は深刻である。ぼくの印象では世界観の反転に近い。人は未知の場で迷いながら世界の中の自分の位置を見出すのではなく、自分の欲求に合う、客観性を欠いた自己中心の世界像に沿ってしか行動しなくなる。すなわち、地理におけるデータベース消費社会の実現。世界にはもう中心はない。フラットに広がるばかりで、依るべき座標軸はない。そこには「社会」も「地域」もなく、あるのは「スポット」や「ルート」ばかり。（この件については松岡慧祐『グーグルマップの社会学――ググられる地図の正体』という本が詳しい）。

新皮質は直径一ミリ長さ2・5ミリの細長いコラム（柱状構造）がびっしり縦に並んだ構造になっている。ヒトではおよそ十五万個。密集した小さなブラシを想像するとわかりやすい。一本のコラムには数万のニューロンが入っていて、それぞれのニューロンは数千のシナプスで他のニューロンに繋がっている。そして脳の働きはぜんたいとしてコラムを単位として行われている。

ジェフ・ホーキンスの本に寄せた序文でリチャード・ドーキンスは「コラムは世界をモデル化するとき、半自律的に働く」と書いている。「脳の中の民主主義？　合意、そして論争？」

これで思い出したことがある。ぼく自身が『キップをなくして』という小説の中で提唱した、心は委員会であるという仮説。

日本の鉄道システムでは切符は目的の駅を出る時に回収される。だから初めて一人で電車に乗る子供は「キップをなくすと駅から出られなくなるわよ」とお母さんに注意される。

切符をなくした子供たちが現実の東京駅に重なる幻想の東京駅の中で暮らしている。食べるものなど生活に困ることはなく、互いに勉強を教えたりしながら一夏を過ごす。彼らは「駅の子」と呼ばれる。

十人ほどの子供の中にミンちゃんという子がいて、この子は実は死んだ子である。鉄道の事故で亡くなったのだが、向こう側に行く気になれなくて仮にこの世に留まっている。しかし彼女はみなと暮らすうちに行ってもいいように思うようになる。しばらく前に他界したグランマに迎えに来てもらいたい。その場所はグランマのお墓がある北海道日高の春立という駅の近く。

駅の子はみんなでミンちゃんとのお別れのために一緒に春立まで行く。そこでグランマに会ってミンちゃんを預ける。その時に誰かが「人が死ぬとどうなるのですか」とグランマに問う。

以下、少し長くなるがその場面を引用する。

「人が死んだらどうなるかを説明する前に、人の心のことを話しましょうね。本当はみんな知っていて、でも気づいていないこと」

グランマはそこにあった倒木に腰を下ろしてゆっくりと話しはじめた。静かな、はっきりした声だった。ミンちゃんはイタルの隣に坐っていた。

ずっと遠くで鳥が鳴く声がした。

「人の心はね、小さな心の集まりからできているの。たくさんたくさんの小さな心が集まって、一人の人の心を作っている。だから人が何か決める時は、その小さな心が会議を開いて相談したり議論したりして決める」

そうだったのかとイタルは思った。そんな気がしたよ。

「みんなも何か決める時に、気持ちが二つに分かれて困ることがあるでしょう。そういう時は会議が二派に分かれて議論しているのよ」

「学級会みたいにですか？」と泉が聞いた。

「そうね、学級会か委員会みたいに」とグランマは言った。「心を作っている小さな心たちに何か名前をつけてあげましょう。心がクラスならば小さな心はその生徒。何かいい名はない？」

みんな一所懸命に考えた。心のもと、心の子、こごころ、しんそ（何それ？心の素と書いて音読み。わかんないよ、そんなの）、こごころ、ころころ、ころっこ……いろいろな案が出る。

「じゃあ、コロッコにしましょう」と議論が果てしなく続きそうになった時にグランマが言った。この案を出した比奈子が嬉しそうに笑った。

「人はいつか亡くなります」とグランマが真剣な顔に戻って言った。「亡くなった人は向こう側に行きます。そうして、その人の心を作っていたコロッコたちはだんだんに解散して、その心はやがて消滅します。それまでにかかる時間は人によって違うけれど、でも最後にはすっかりなくなってしまう。だから昔々の人の心は向こう側にもありません」

「つまり、永遠の魂はないのですか？」とフクシマケンが聞いた。

「そう。心はつまり魂ね。永遠の魂はありません。まだずっとまとまっていたいというコロッコたちの思いが強いと、ずいぶん長い間もとの心に近いままで残るけれど、それでもコロッコたちは一人抜け二人抜けして、だんだんに減っていきます。私の心のコロッコはもうずいぶん少なくなりました。ここでこうやって話している私は生きている時の私より、どう言えばいいかしら、そう、薄いのね。みんな散っていって」

「そのコロッコたちはどこに行くんですか？」とフタバコさんが尋ねた。

「宇宙ぜんたいの大きな大きな心の中に入るの。それはもうとても大きいから、会議なんか開かない。ただ楽しくそこにいるだけ」

「いつまでも？」とフクシマケンが聞いた。

「いいえ。しばらくするとまた仲間を募って、まとまって、新しい命の中に入る。人間のような大きな心の場合はたくさんのコロッコが集います。この花のような、あのチョウチョのような、小さな生命には少しのコロッコ」

そう言ってグランマは近くの黄色い小さな花と藤色の蝶を指さした。

「だから、しばらく人間の心にいたコロッコは、今度は蜂にしようとか、ミミズはおもしろそうとか、椰子の木はどうだろうかとか、いろいろ議論してまとまって、次の命になるわけ」

「コロッコは永遠ですか？」とフクシマケンが聞いた。

「コロッコは永遠です。何万回でも転生できます。宇宙の果ての別の星に生まれることもできると私は聞いています」

ミクロコスモスとマクロコスモスという考えが古代ギリシャからルネサンスまであった。人体と宇宙はなんらかの相似の形であり、その間には影響関係があるという一種の神秘思想である。

これは近代科学によって否定されたが、今、人間が知的営為によって世界図を作る方法と脳が外界を認識する方法の間に類比が認められるとすればこれは古代の思想の復権と言えるのではないだろうか。

付録 いくつかの科学の訳語について

明治以降の日本では欧米で用いられてきた学術用語を漢語に訳してきた。科学も哲学も大気も海流も遺伝も情報も解析も、そのようにして作られた言葉である。例外として経済などはあるが（これは中国の古典の「経国済民」に由来する）、だいたいはこの方針で済ませてきた。近年に至ってこれが間に合わなくなり、英語などの発音の近似値をカタカナにして用いることが多くなったが（例えばアイデンティティーとか）、この傾向に反対する意見もある。

創発

ぼくは英語の emergence を「創発」と訳したのは、つまりこの二文字の漢字を当てたのは、大きな間違いだったと考えている。これは自ずから秩序が生成することであって、外からの働きかけによるものではない。しかるに「創」の字は「創作」や「創立」や「創建」に見るように、誰かが何かに働きかけてそれまでなかったものを「つくる」ことを意味する。まるで違うのだ。

ここで興味深いのは旧約聖書の Genesis が日本語の聖書では「創世記」とされていることだ。この言葉の語源であるギリシャ語は「生まれる」の意であるが、世界は生まれたのではなく神によって造られた。だから神は創造主なのである。そこまで読み取ってか、日本語訳は「創」の字を用いた。

話を emergence に戻せば、ラテン語の語源は水などの中からモノが浮力によって浮上してくることである。自力で浮くのであって引き上げられるのではない。（これは神の属性を持つキリストが天に昇るのが「昇天 the Ascension」であるのに対して人間のままのマリアが昇るのは「被昇天 the Assumption」であるのに似た事態だ。）

ちなみに中国では emergence を「涌現」と訳して用いている。「涌いて現れる」、ちゃんと西欧語の語源に戻っての造語。立派なものではないか。さすが computer に電脳という文字を当てた国である。

進化

今さら変えられないのはわかっているけれども、この言葉、「進」の字が入っているばかりに「進歩する」、「よりよくなる」という印象が強くて誤解を招いている。

語源に遡行すれば、ラテン語の evolvere（巻いたものを広げる）、すなわち ex（外へ）と volvere（巻く）の合成語。

では「展化」でよかったのでは？　中国語では「演化」である。「演」は「伸ばす、引き延ばす」の意。この方が真意に近い。

菌

これは本来の意味とは別のところで訳語を作ったための混乱。もともと「菌」はキノコの意だった。応用例として「菌類」「菌糸」など。ところがこれを germ の訳として用いるようになった。「細菌」であり、「黴菌（ばいきん）」であり、「大腸菌」である。生物分類学でまったく異なる分野に同じ漢字が当てられる。この場合、多勢に無勢を理由に本家のキノコが譲ってもいいかもしれない。他にも茸や蕈などがあるのだから。

余震

これは訳というより語感の問題である。「よしん」という発音の響きは柔らかい。実感は余りなどというぬるいものではない（ぼくは二〇一一年四月七日の夜、仙台で本震以降最大級、震度6強の余震を体験している)。

「残震」とか「続震」とか、濁音を含むきつい言葉にしてはいかがか。

権利

これはもう科学用語の範囲を超えるが、敢えてここで説こう。

英語の right はじめ西欧諸語では本義は「正しい」である。「すじにかなっている」、「ことわりである」。

では「権理」がよかったのではないか?

ここで「利」の字を用いたために利益を連想させ、主張するのにどこかものほしげな気持ちになる。自分は正しいと信じて要求する姿勢にためらいが混じる。権力側の思う壺。

あとがき

何年か前に、科学のことを改めて考えてみようと思い立った。雑誌に連載という形で、毎回違うテーマを取り上げ、最後にはモザイクながら全体として一つの絵柄を目指す。科学というものの今の姿を追いながら、歴史にも目を向ける。

大学の理工学部物理学科を中退して以来、科学を職業としたことはない。それでもファンとしてその動向は追ってきたし、実際ずいぶん多くの科学啓蒙書を読んできた。昔はもっぱら翻訳物だった。思い出す名著を挙げてみれば——

ファラデー　『ロウソクの科学』
イリン　『灯火の歴史』
ホグベン　『百万人の数学』
ガモフ　『不思議の国のトムキンス』
ワトソン　『二重らせん』……

これらはあまりに古典だが、最新の科学についてわかりやすく書いた本はアメリカを中心にいろいろ出ていて、ぼくたちはそれを渡辺政隆さんなど優れた人の手になる翻訳で読んだ。スティーヴン・ジェイ・グールドの諸作が好例。

そのうちに日本人でも優れた本を書く人が出てきた。研究者自身が自分の発見や意見を巧みに本にする。早かったのは本文にも書いた坂上昭一の『ミツバチのたどったみち』、近くは海部陽介の『日本人はどこから来たのか?』、最も新しいところではこの本で正面から取り上げた吉川浩満の『理不尽な進化』。

そういう読書に少しばかり自分の行動を加えて(海岸の採集ごっこや、ドイツの博物館とか、パタゴニア紀行など)、十二章を重ねてこういう本になった。科学者とはどういう原理で動く人間であるか、科学は人間にとっていかなるものであるか、それを乱雑かつ広範囲なテーマから探ったつもりである。

ぼくにとってこの種のエッセー集は四冊目で、前のは一九九二年に出した『母なる自然のおっぱい』と一九九四年の『エデンを遠く離れて』、そして二〇〇四年の『アマバルの自然誌』だった。

ずっと雑誌『考える人』に連載していたのだが、なぜかこの雑誌がなくなってしまった。こういうことは珍しくなく、連載中に足場をうしなったことは何度もある。そこで雑誌『ｋｏｔｏｂａ』に頼み込んで続きを載せてもらうことにした。機会を与えてくれたこの二つの雑誌に心から感謝する。

二〇一九年二月　沖縄

文庫あとがき

雑誌に連載したものが本になると、それだけの読者が見込めるのだと安心する。何年かの後にそれが文庫になると、同じ理由でまた安心する。嬉しいものだ。

せっかくの機会だから一つ増やすことにして、新規に「環世界とカーナビと心の委員会」を書いて加えた。ぜんぶで十三本。イギリスでは十三個のことを「パン屋の一ダース」と呼ぶ。一個はおまけということ。もとは量目不足に対するクレイムを封じるためだったという説もある。

単行本を出した後でまったく別のところで科学者としての昭和天皇さんに再会した。『また会う日まで』という長い小説を新聞に連載して、今はそれを本にすべく働いている。

この話、あるところまでは伝記である。中心にいるのは一八八九年に生まれた秋吉(あきよし)

利雄という人物。クリスチャンであって海軍軍人で天文学者という特異な人格の人だった。

海軍軍人が天文学者であるのは彼が水路部に身を置いたからだ。若い時には軍艦にも乗ったがその後はずっと陸上勤務で、戦闘体験がないまま終戦を迎えた。

水路部は海図と航海暦を作ることを主務とする。これは軍艦だけでなく民間の船舶にとっても必須のもので、だから「海軍水路部」ではなくただ「水路部」と名乗ったのであり、それが彼らの誇りだった。

一九三七年の三月、昭和天皇が水路部に行幸され、秋吉利雄はこの役所の業務について進講する役目を与えられた。

天皇は海図というものがいかに大事かを語り、その年の一月に相模湾で標本採集をした時も船の運航は海図に依ったと言われた。これは小説の一場面だが、三月の行幸と一月の採集は『昭和天皇実録』にあるれっきとした史実。

これも縁なのだろうか。

二〇二二年十二月　　安曇野

解説

中村桂子

私たちが生きている今、つまり二十世紀後半から二十一世紀初めを一言で表すなら「科学技術時代」と言ってよいのではないでしょうか。

最も身近な家事でも掃除機、洗濯機、炊飯器、電子レンジなど、私が子どもの頃にはなかった便利な道具が日常を支えています。最近ではそれらに自動という言葉がつき、人間はスイッチを押すだけ、あとはすべて機械が考えて進めてくれることになってきました。以前は身近な道具が壊れると自分で修理しました。家人が工学部出身ということもあって、若い頃は壊れたら直すを繰り返していたものです。

ところが今や、すべてがブラックボックスです。部品のセットを交換してはめ込むだけ、いえ、ちょっと古くなると部品がないので買い換えるしかありません。何がどうなっているのか分からないままに新製品とつき合うことになるのです。科学技術に囲まれていながら、それを支えている科学とは無関係となり科学技術の繁栄が科学の影を薄くしている時代です。

電熱器（若い方はご存じかしら）のニクロム線の交換やミシンの掃除が得意であった夏樹少年も、大人になった今、機械のブラックボックス化を嘆いています。幸い夏樹少年は、物理学を学んだ後に小説家になるというちょっと変わった道を歩みながら、影が薄くなりつつある科学への関心を持ち続け、「科学する心」と「文学的まなざし」とを合わせ持つ大人となり、楽しいエッセイを私たちに届けて下さることになりました。

本書を読んでまず思い出したのが、二十一世紀に入る頃、文部科学省で「これからの学術研究の進め方」を議論する会議に提出された書類を見た時のことです。驚いたことにその書類では、本来「科学」と書くのが妥当と思われるところがすべて「科学技術」になっていました。重要なのは新しい産業につながって経済を活性化し、生活の利便性を高める科学技術であり、科学はそのためにあるのだという考えの表れです。

何だか落ち着かなかったので、人間にとって大事な文化の一つとしての科学はどこへ行ったのですかと問うたところ、気になるのだったら科学技術を科学と読んでおくようにという答えが返ってきました。あまりにも乱暴な話ですから他からも疑問が出されたのでしょう。しばらくして科学という言葉が復活はしましたが、流れはまったく変わっていません。科学する心が消された社会と言っても言い過ぎではないと思っています。

そんなバカバカしさを吹き飛ばして、科学そのものを語っているのが、ここにあるエッセイたちです。目次を見て、面白そうと思ったところから読み始め、なんとなく関わりのありそうなところへ移って行くことを繰り返していましたら、いつの間にかすべてを読み終えていました。そしてその時には、広大な宇宙の中にいながら日々のお料理を科学の目で楽しむ、ゆったりした私になっていました。久しぶりに味わったよい気分です。

科学は知識ではない。（中略）受験の学でも暗記物でもない。五感をもって自然に向き合う姿勢なのだ。そして自然は身近なところにいくらでもある。
だから注意深い観察者は近代科学とは無縁なところでそれぞれに系統的な自然像を作ってきた。

引用したい文は山ほどあり、時によってどこに目を向けるかが変わりそうな気がしますが、今はまずこれです。
科学技術によって科学を消そうとしておきながら、恐らく役に立つ科学技術開発のために必要だからというのでしょう。子どもたちの科学離れがないように、その面白さを伝えなければならないという声はこれまで以上に大きくなっています。そして知識、それも最先端とされる知識をできるだけ面白く伝えることが大事とされます。科学者という特別な人が見出した事柄を皆が知識として手にするのは、なんとすばらしいことかというわけです。

これは「科学する」ではありませんよね、池澤さん。この本を読めば、身近に自然を感じながら暮らし、お料理では食材を煮たり冷やしたりする一つ一つの行為が自然の理を生かしていることに感心するところにこそ科学があると気づきます。そこに気づきさえすれば、ふしぎに思うことに出会ったら自分で調べてみたくなるものです。そのような仕方で科学の本を読めば、断片的な知識ではなく自然との向き合い方が見えてきます。このように日常とつながっているのが科学であり、それが生き方を豊かにしてくれるところに科学の面白さがあるのです。

近年、生命科学が急速に進展しましたので、日常の中で科学を考えることがより面白くなっています。しかも面白く考えていると、毎日のお料理が楽しくなってくること請け合い……その証拠に池澤さんはお料理好きです。

もう一つの日常として、「本」が登場します(もちろん映画や絵画も)。本書で紹介されているものだけでもとても多様で、池澤さんの関心の広さが分かると同時に、科学がほとんどすべてのことと関わっていることが見えてきます。こうして文系と理系という、世間でよく言われる分類がいかに無意味なものであるかが具体的に示されます。

宮澤賢治の「土神ときつね」にある、土神と憧れの樺の木との会話を聞きましょう。土神が「草は黒い土から出るのに青く、黄や白の花が咲くのがわからん」と悩みを語ると、樺の木が「それは草の種子が青や白を持っているためではないか」と答えます。科学のことなど知らずに読んで、タネの中に青や白を生み出す秘密があると想像するのも楽しいですが、今の科学はまさにこれこそDNAの役割であることを明らかにしています。そこで「樺の木さん、よく分かってますね。自然のしくみはこんな面白いものなのですよ」と語りかけることができます。そこから更に、実はあなたもきつねもDNAを遺伝子としているところは共通なのですよと続け、「土神ときつね」生命誌版を創りたくなるのは私の悪い癖かも知れませんが、文学作品には科学で世界を広げたくなるものがたくさんあることは事実です。見ている世界は重なっているのです。

池澤さんはまた、科学の本とされている『ファーブル昆虫記』や坂上昭一著『ミツバチのたどったみち』などに著者の生きものたちへの思いを感じとり、記述に文学が混じっているところが好ましいとおっしゃいます。記述に思いをこめることになるのは徹底的な観察があったからこそであり、そこには科学としての新しい発見があります。自然の基本に数字があり論理があることは確かですので、個別の事実の記述の場合はそれを大事にするのが当然です。けれども自然全体となるとそこには矛盾や揺らぎが見えますので、全体を語ろうとすると思いの入った言葉が必要になります。

私はダーウィンの『種の起源』にそれを感じます。本書にもあるように生物学では「進化」が重要な切り口ですが、最近まで進化は「論」であって「学」ではありませんでした。私が大学院の学生だった頃には、先輩から進化には近づかないようにと強く言われたものです。現役を卒業した年寄が勝手に論を闘わせる対象だったのです。

DNA解析、更にはゲノム解析ができるようになって進化学が生まれたのは、本当に最近です。こうして新しい科学で進化を語れるようになった今、十九世紀に書かれたダーウィンの『種の起源』を読むと、科学として気になるところがあるのは当然です。しかし、小さな生きものたちを見つめ続けることで、基本を保ちながらダイナミックに変化していく生きものの本質を見出したところにはまさに「科学する心」があり、非常に魅力的です。それをみごとに表しているのが『ミミズと土』です。ダーウィンが一生付き合ったミミズの生態はもちろん、それが生み出す土の意味が見えてくる大好きな本であり、これを読むと大著『種の起源』もこれと同じ姿勢で書かれていることが分かります。『種の起源』の中の大事な文章には「私は信じる」という言葉が使われていることがあり、心打たれます。

神様による創造ではなく自然の力で生み出されてきた生きものの世界を示すにあた

って、ダーウィンはとても慎重でしたが、一方で自身の行ってきた観察への自信はあったに違いありません。そこで信じるという言葉を使ったのでしょう。現時点での進化学の研究から分かってきたことを並べ立てて「ダーウィンを超える」などと言うのは、自然に謙虚に向き合うことが不可欠の科学者として慎まなければならないことだと思っています。

これと関連して、本書にある「考える」と「思う」の違いという指摘も考えさせられます。映画『ブレードランナー』、『2001年宇宙の旅』、『ターミネーター』などに登場するAI、ロボット、レプリカントのありようを見ながら人間とは何だろうと問うた時、「思う葦」という答えが出てくると池澤さんは語ります。think という英語を日本語にする時、「考える」でなく「思う」にすることで、論理を超えた豊かな世界をイメージできますし、そこにこそ人間らしさがあるという話はゆっくり考えてみたいことです。

科学技術の中に埋没している「科学」を拾い上げて優しいまなざしを向け、そこにある面白いテーマについて語って下さる池澤さんの思いが決して手放しの科学礼賛ではないところも、本書の魅力です。「主観の反逆、あるいは我が作品の中の反科学」という章はもちろん、それ以外のところでも科学のもつ問題点が書かれています。その一つとして書かれた「自然を科学の対象として見るばかりで、それをすっかり科学者に委ねてしまった結果、個人に属するものとしての自然を喪失した。植物を例に取れば、庭の隅やプランターの中に押し込めてしまった」という嘆きは他でもよく聞かれますが、この文は「それを嘆くのではなく、ちまちまと隅をつつくのではなく、自己という存在をもっと大きなフレームの中で取り戻すことはできないか」と続くのです。今大事なことはこれです。私が生命誌という新しい知を創ろうと思ったのも、科学が明らかにしたことを日常につなげ、大きなフレームの中で取り戻したいと願ってのことです。専門家もそうでない方も、自身を自然の一部と位置づければ、今科学が明らかにしつつあることを自分の生き方につなげ、大らかさを持つことができるはずです。随所にこの考え方がちりばめられている本書を読むことで、多くの方がこれを試みて下さるようになったら素晴らしいと思っています。

ここで一つ、生命誌という生きものたちの歴史と関係を見ている者として池澤さんに問い、御一緒に考えていただきたいことがあります。本書の終盤にある「生物の場合、人間の場合、なぜ生存が競争原理に支配されるようになってしまったのだろう？」という問いについてです。

確かに生きものたちは眼の前にある餌をとり合いはしますが、全体を見るとそれぞれが多様化し、巧みな共生関係をつくることによって四十億年も続く系を作ってきました。競争原理ではこの継続はなかったでしょう。もちろん一つ一つの生きものは全力で生きようとしているのであり、お互いに仲良くしようねと甘い言葉をかけ合っているわけではありませんが、生き続けるには共生という仕組みが必要でした。食べる、食べられるの関係も、競争というより全体として続く仕組みの一つと思えます。

　生きものって何ですかと聞かれた時、頭に浮かぶのが「矛盾を活かして続いていくもの」という言葉です。人間も生きものなのだから、あからさまな競争を避け矛盾を活かしながら共に生きていく道があるのではないか。今私が考えたいことはこれなのですが、いかがでしょうか。

　この問題と関連して、最後にユヴァル・ノア・ハラリ『サピエンス全史』に触れます。この本は私も興味深く読みました。ジャレド・ダイアモンドなど生物進化の中で人類史を語る人々が言い始めた「農業革命は史上最大の詐欺」という衝撃的な考え（事実）をハラリも共有します。狩猟採集時代の方が労働時間は少なく、食べものは多様だったと言われると、なぜ農耕に移行したのだろうと問いたくなります。ここでハラリは、変化が少しずつやってきたので、どうもおかしいという状況になった時は前の世代を知っている人がいなくなっていたから一度進み始めた道を変えることはできなかったのだと説明します。今の私たちもそのような状況に置かれている気がします。どう考えてもこのまま進んだ先は人類の破滅という結末になりそうに思えるのです。人類史上初めてになるのかも知れませんが、おかしさに気づいたからには今歩いている道の見直しをしたいと強く思います。

池澤さんは、「時おり社会的な発言、つまり警告をする」と自覚していらっしゃいます。『楽しい終末』がそうでした。そのような御自身を「たった今ここで生きている人間たちに対する愛着が強すぎ」るので「科学者が実験動物を見るようにちょっと突き放してヒトを見ることができ」ないと書いていらっしゃいます。私もその感覚を共有する一人であり、その立場で私たちサピエンスのこれからを考えることが大事だと思っています。ダーウィンに倣うなら、そう信じています。「科学する心」はそのような考えの基礎になり、それを広げてくれる大事な力です。

この力を皆が楽しく歩ける道を探し社会を変える力にしたいと願いながら筆を擱きます。

（生命誌研究者）

本書は、二〇一九年四月に集英社インターナショナルより刊行された『科学する心』に「環世界とカーナビと心の委員会」と付録を増補し、文庫化したものです。

科学(かがく)する心(こころ)

池澤夏樹(いけざわなつき)

令和5年 1月25日 初版発行

発行者●山下直久

発行●株式会社KADOKAWA
〒102-8177 東京都千代田区富士見2-13-3
電話 0570-002-301(ナビダイヤル)

角川文庫 23519

印刷所●株式会社暁印刷
製本所●本間製本株式会社

表紙画●和田三造

●お問い合わせ
https://www.kadokawa.co.jp/（「お問い合わせ」へお進みください）
※内容によっては、お答えできない場合があります。
※サポートは日本国内のみとさせていただきます。
※Japanese text only

ISBN 978-4-04-400722-5 C0195

◇◇◇

角川文庫発刊に際して

角川源義

第二次世界大戦の敗北は、軍事力の敗北であった以上に、私たちの若い文化力の敗退であった。私たちの文化が戦争に対して如何に無力であり、単なるあだ花に過ぎなかったかを、私たちは身を以て体験し痛感した。西洋近代文化の摂取にとって、明治以後八十年の歳月は決して短かすぎたとは言えない。にもかかわらず、近代文化の伝統を確立し、自由な批判と柔軟な良識に富む文化層として自らを形成することに私たちは失敗して来た。そしてこれは、各層への文化の普及滲透を任務とする出版人の責任でもあった。

一九四五年以来、私たちは再び振出しに戻り、第一歩から踏み出すことを余儀なくされた。これは大きな不幸ではあるが、反面、これまでの混沌・未熟・歪曲の中にあった我が国の文化に秩序と確たる基礎を齎らすためには絶好の機会でもある。角川書店は、このような祖国の文化的危機にあたり、微力をも顧みず再建の礎石たるべき抱負と決意とをもって出発したが、ここに創立以来の念願を果すべく角川文庫を発刊する。これまで刊行されたあらゆる全集叢書文庫類の長所と短所とを検討し、古今東西の不朽の典籍を、良心的編集のもとに、廉価に、そして書架にふさわしい美本として、多くのひとびとに提供しようとする。しかし私たちは徒らに百科全書的な知識のジレッタントを作ることを目的とせず、あくまで祖国の文化に秩序と再建への道を示し、この文庫を角川書店の栄ある事業として、今後永久に継続発展せしめ、学芸と教養との殿堂として大成せんことを期したい。多くの読書子の愛情ある忠言と支持とによって、この希望と抱負とを完遂せしめられんことを願う。

一九四九年五月三日

角川ソフィア文庫ベストセラー

銀座アルプス　寺田寅彦

近代文学史の科学随筆の名手による短文集。「電車と風呂」「鼠と猫」「石油ランプ」「流言蜚語」「珈琲哲学序説」等30篇。写生文を始めた頃から昭和8年まで、寅彦の鳥瞰図ともいうべき作品を収録。

科学歳時記　寺田寅彦

電車、銀座の街頭、デパートの食堂、花鳥草木など、生けるものの世界に俳諧を見出し、人生を見出して、科学と融合させた独自の随筆集。「春六題」「蓑虫と蜘蛛」「疑問と空想」「凍雨と雨氷」等39篇収録。

科学と文学　寺田寅彦

日本の伝統文化に強い愛情を表した寺田寅彦は、芸術の本質に迫る眼差しをもっていた。科学者としての生活の中に文学の世界を見出した「映画芸術」「連句雑俎」「科学と文学Ⅰ」「科学と文学Ⅱ」の4部構成。

ピタゴラスと豆　寺田寅彦

随筆の名手が、晩年の昭和8年から10年までに発表した科学の新知識を提供する作品を収録する。表題作をはじめ、「錯覚数題」「夢判断」「三斜晶系」「震災日記より」「猫の穴掘り」「鳶と油揚」等全23篇。

読書と人生　寺田寅彦

近代市民精神の発見であると共に、寅彦随筆の転換となった「丸善と三越」をはじめ、「読書論」「人生論」「科学者とあたま」「科学に志す人へ」「わが中学時代の勉強法」「『徒然草』の鑑賞」等29篇収録。

角川ソフィア文庫ベストセラー

万華鏡
寺田寅彦

科学に興味をもつ読者向けに編まれた『柿の種』と双璧をなす代表作。人間が発明し、創作した物の中で「化物」は最も優れた傑作とする「化物の進化」をはじめ、「物理学と感覚」「怪異考」ほか全13篇収録。

雪と人生
中谷宇吉郎

雪の結晶の研究で足跡を残した中谷宇吉郎は、寺田寅彦と並ぶ名随筆家として知られている。科学的な見方とはどのようなものかを説いた作品を厳選。「雪を作る話」「天地創造の話」など17篇収録。解説・佐倉統。

科学と人生
中谷宇吉郎

科学的なものの見方とは、人間の愛情や道徳観から離れ、物質や法則をそのままの形で知ろうとすることとする「科学と人生」や、「科学と政治」「寺田研究室の思い出」など、自選11編を収録。解説・永田和宏。

春宵十話
岡　潔

「人の中心は情緒である」。天才的数学者でありながら、思想家として多くの名随筆を遺した岡潔。戦後の西欧化が急速に進む中、伝統に培われた日本人の叡智が失われると警笛を鳴らした代表作。解説：中沢新一

春風夏雨
岡　潔

「生命というのは、ひっきょうメロディーにほかならない。日本ふうにいえば〝しらべ〟なのである」——科学から芸術や学問まで、岡の縦横無尽な思考の豊かさを堪能できる名著。解説：茂木健一郎

角川ソフィア文庫ベストセラー

夜雨の声
岡　潔
編／山折哲雄

世界的数学者でありながら、哲学、宗教、教育にも洞察を深めた岡潔。数々の名随筆の中から科学と宗教、日本文化に関するものを厳選。最晩年の作「夜雨の声」ほか貴重な作品を多数収録。解説／編・山折哲雄。

風蘭
岡　潔

人を育てるのは大自然であり、その手助けをするのが人間である。だが何をすべきか、あまりにも知らなさすぎるのが現状である――。六十年後の日本を憂え、警鐘を鳴らした岡の鋭敏な教育論が冴える語り下ろし。

一葉舟
岡　潔

「人が現実に住んでいるのは情緒としての自然、情緒としての時の中である」――。釈尊の再来と岡が仰いだ山崎弁栄の言葉や芭蕉の句を辿り、時に脳の働きにも注目しながら、情緒の多様な在り方を探る。

青春論
亀井勝一郎

青春は第二の誕生日である。友情と恋愛に対峙する「沈黙」のなかで「秘めごと」として自らの精神を育てなければならない――。新鮮なアフォリズムに満ち生きることへの熱情に貫かれた名随筆。解説・池内紀。

文学とは何か
加藤周一

詩とは何か、美とは何か、人間とは何か――。後年、戦後民主主義を代表する知識人となる若き著者が果敢に挑む日本文化論。世界的視野から古代と現代を縦横に行き来し、思索を広げる初期作品。解説・池澤夏樹。

角川ソフィア文庫ベストセラー

陰翳礼讃
谷崎潤一郎

陰翳によって生かされる美こそ日本の伝統美であると説いた「陰翳礼讃」。世界中で読まれている谷崎の代表的名随筆をはじめ、紙、厠、器、食、衣服、文学、旅など日本の伝統に関する随筆集。解説・井上章一

恋愛及び色情
谷崎潤一郎・編／山折哲雄

表題作のほかに、自身の恋愛観を述べた「父となりて」「私の初恋」、関東大震災後の都市復興について書いた「東京をおもう」など、谷崎の女性観や美意識について述べた随筆を厳選。解説／編・山折哲雄

美しい日本の私
川端康成

ノーベル賞授賞式に羽織袴で登場した川端康成は、古典文学や芸術を紹介しながら日本の死生観を述べ、聴衆の深い感銘を誘った。その表題作を中心に、今、日本をとらえなおすための傑作随筆を厳選収録。

人生論ノート 他二篇
三木清

ひとは軽蔑されたと感じたとき最もよく怒る。だから自信のある者はあまり怒らない（「怒りについて」）。深い教養と思索から生みだされた言葉の数々は、いまなお心に響く。『語られざる哲学』『幼き者の為に』所収。

改訂新版 ものの見方について
笠信太郎

イギリス人は歩きながら考える。フランス人は考えた後で走りだす。そしてスペイン人は、走ってしまった後で考える――。滞欧新聞特派員の体験を元に、憂国の感慨と熱情で書かれた、戦後日本のベストセラー。

角川ソフィア文庫ベストセラー

日本という方法
おもかげの国・うつろいの国

松岡正剛

この国のよさは、「強さ」や「一貫性」ではなく「一途で多様」なことにある。万葉集から司馬遼太郎まで、メディアや表現を横断する〈日本的編集〉の方法を辿り、日本社会と文化の様相を浮かび上がらせる。

千夜千冊エディション 本から本へ

松岡正剛

人間よりもひたすら本との交際を深めながら人生を送ってきた著者の本の読み方が惜しげもなく披露されている。「読み」の手法「本のしくみ」「物品としての本」。本と本好きへ贈る、知の巨人のオマージュ。

千夜千冊エディション デザイン知

松岡正剛

意匠、建築、デザイン。人間の存在証明ともいえる知覚のしくみを表現の歴史からひもとき、さらには有名デザイナーの仕事ぶりまでを俯瞰。大工やその道具なども挟み込みつつ、デザインの根源にせまっていく。

千夜千冊エディション 文明の奥と底

松岡正剛

ヨブ記、モーセと一神教、黙示録、資本主義、飢餓、肥満。文明の奥底に横たわる闇とは。西洋文明から黄河、長江、そしてスキタイ、匈奴。人間の本質に迫る長大な文明論の数々をこの一冊で俯瞰する。

千夜千冊エディション 情報生命

松岡正剛

SF、遺伝子、意識……地球生命圏には、いまだ未知の情報生命があっても不思議はない。先人のさまざまな考察を生命の進化、ゲノムの不思議、意識の不可思議等々から、多角的に分析する。

角川ソフィア文庫ベストセラー

千夜千冊エディション
少年の憂鬱
松岡正剛

失ったものを追いつつ、無謀な冒険に挑む絶対少年たち。長じた大人たちはそれをどのように振り返り、どんな物語にしていったのか。かつての妄想と葛藤を描いた名著・名作が、次から次へと案内される。

千夜千冊エディション
理科の教室
松岡正剛

蝶、カブトムシ、化石、三葉虫、恐竜、電気。こどものときは大好きだった理科。いつのまに物理は苦手、とか言うようになったのか。かつて理科室でわくわくしていた文系人間がすらすら読める愉快な一冊！

千夜千冊エディション
宇宙と素粒子
松岡正剛

天才科学者たちの発想と方法の秘密に迫りつつ、宇宙論と素粒子論のツボを押さえた考え方を鮮やかにナビゲート。極大の宇宙から極小の素粒子まで。天才科学者たちの発想と思考の秘密に迫る、画期的科学書案内。

千夜千冊エディション
物語の函
世界名作選Ⅰ
松岡正剛

ページをめくれば、物語世界への扉が開かれる。ホメーロスの語りから物語が生まれ、物語から各国語ができ、女の物語を描くことが近代文学を準備した。古典から近代まで世界文学史を築いた名作を一気に辿る。

千夜千冊エディション
方法文学
世界名作選Ⅱ
松岡正剛

神話を下敷きにしたジョイス、ハードボイルドなチャンドラー、「方法」を提唱したヴァレリー。彼らは日々の生活を作品に昇華させた。19世紀後半～20世紀前半の世界文学史を転換させた名作を一気に紹介。